KB088455

뜬 세상에
살기에

뜬 세상에
살기에

김승옥
수필집

예담

40년 만에 쓰는 서문

"첫술에 배부르랴! 이 책을 계기로 앞으로는 남의 요구에서가 아닌 스스로 우러나 쓰는 수필도 좀 열심히 써봐야겠다고 생각한다."

1977년 12월, 첫 수필집 《뜬 세상에 살기에》를 펴내면서 나는 썼다. 이 책은 첫 수필집이자 마지막 수필집이 될 운명이었나 보다. 40년 전 그날의 생각과 달리 그 후로 나는 수필집을 더 출간하지 못했다. 40년 만에 첫 수필집을 새롭게 단장했다. 개정판 역시 자의가 아닌 '남의 요구'로 이뤄졌다. 나란 사람한테 참 고집스러운 구석이 있음을 새삼스럽게 다시 확인한다.

40년 전에 출간됐지만 책에 실린 글 중에는 훨씬 더 오래 전에 쓴 것도 있다. 1960년 4월 19일의 기억, 한국일보 신춘문예 당선 결과를 확인한 순간의 기쁨과 두려움, 문학동인지 《산문시대》를 만들면서 동인들과 문학청년으로 산 시간들, 서울과 순천을 오가던 길에서 스친 풍정과 사람, 생각들이 하나씩 떠오르면서 내 것인 듯 내 것이 아닌 듯 내 안에서 살아 숨쉬기 시작했다. 그리고 그립고 미안한 이름들 얼굴들……

고백하자면, 1977년 겨울 출간한 이 책이 나한테 없다. 내가 버렸는지 잃어버렸는지조차 기억이 가물가물하다. 이 책을 다시 볼 수 있으리라고는 단 한 번도 생각해본 적이 없다. 그래서 고맙고, 40년 전보다 더 설렌다. 까맣던 머리칼이 하얘진 만큼 먼 길을 돌아왔다. 잊지 않고 오랜 시간을 기다려주신 독자 한 분 한 분께 감사의 마음을 전한다.

2017년 1월
김 승 옥

차례

2부

3부

4부

5부

1부

평범한 의욕

기특하게도 때때로 창작 행위에 대한 의욕으로 가슴이 벅차서 밤을 꼬박 새울 때가 있다. 밤을 꼬박 새운대야 머리맡에 메모지와 만년필을 놓아두고 담배를 빨며 천장을 올려다보고 미친놈처럼 중얼거렸다가 웃었다 하는 것이지만, 그래도 새벽빛이 창을 가득히 채우기 시작할 때쯤에는 머리맡에서 우두커니 기다리던 백지에 나 이외의 사람들은 알아보기 힘든 글씨가 몇 자 적히는 것이다.

'기특하게도'라는 말을 구태여 쓰는 것은 대강 다음과 같은 이유가 있기 때문이다.

다른 작가들은 어떤지 모르지만 적어도 나로서는 소설 쓰는 일처럼 싫은 일이 없다. 소설 쓴다는 말은 물론 구상부터 발표까지의 과정을 통틀어 하는 말이겠는데, 나는 그 모든 과정이 싫어 죽겠다. 그런 과정들을 꼼꼼히 거쳐야 한다는 일이 싫은 게 아니라 그 과정 과정의 내용을 이루는 것들과 대결하는 것이 싫다는 것이다. 우선 구상이라는 한 과정부터 얘기하면 다른 작가들은 원고지 위에 펜을 달리게 할 때가 싫지 작품을 구상할 때만은 즐겁다고 하지만, 나로서는 이것 역시 끔찍이 싫다. 조금 심하게 얘기한다면 내가 소설 쓰는 일을 붙든 것이 확실히 잘못이었던 것 같다는 것이다. 엄살은 빼자. 그렇다고 다른 재주도 가진 게 없으니까.

구상이라는 과정을 겪어내는 데도 진땀을 빼는 이유는 대강 다음과 같은 평범하고 단순한 이유 때문이다.

첫째, 고백해야 할 것은, 아직 새파란 놈에게 '……에 감동한다' 또는 '……에 감격한다'는 일이 드물게 일어난다는 사실이다. 내가 감동하지 않는 일을 다른 사람에게 감동해달라고 요구하며 소설이라고 써낼 수 없는 것은 창작 태도의 ABC. 그런데 곤란하게도 감동할 만한 사건 또는 생각이 잘 나지 않는 것이다. 잠깐 딴 길로 들어서서 얘기해본다면 감동 또는 감격이 사라져간다는 사실이 소박하게 '철이 들었으니까'라고만 얘기할 수 있을까 하는 의문을 나는 가지고 있다. 무엇인가 커다란 병적인 이유가 나의 내부뿐만 아니라 외부에도 있는 게 아닌가 하고 생각 중이다.

구상의 과정에서 두 번째로 애기할 수 있는 것은 '감동·감격'이라는 것이 대개 가슴에서 일어나는 현상으로 애기되지만, 그러나 내 욕심은 비록 그것이 가슴에서 일어난다고 하더라도 독자의 누선이나 자극하고 그치게 하고 싶지 않은 것이다. 김붕구 교수의 말을 빌리자면 독자들의 '의식을 긁어놓고' 싶은 것인데 그게 참 힘들다. 좀 게으름을 피우다 보면, 몇몇 사회과학 분야의 이름난 논문들을 읽는 사람들에게나 자기들이 그 논문들을 읽었다는 사실을 확인하고 기뻐하도록 해주는 소설밖에 되지 않을 염려가 많기 때문이다. 다시 말하면 얄팍한 지적 만족감이나 주고 끝나버리고 말 소설을 열심히 구상하는 어리석은 나 자신을 발견하는 때가 너무 흔하다는 것이다.

세 번째로 애기할 수 있는 것은 "이런 정도의 생각이나 애기는 '소설계'에도 나온다"는 자기비하의 느낌과 또 '이런 애기를 나는 아직 읽지 못했지만 벌써 다른 사람들이 써버린 것은 아닐까' 하는 글 쓰는 사람이라면 누구나 가지고 있는 강박관념 때문에 괴로움을 겪어야 하는 것이다.

네 번째로 애기할 수 있는 것은 '이런 글을 쓰다가 당국에 걸리는 게 아닐까' 하는, 참으로 내놓고 애기할 수 없는 걱정이 있다는 것이다. 이 걱정은 마치 사람이 귀신에 대해 생각하는 것과 거의 마찬가지 생각일지 모르나 그렇다고는 하더라도 마음이 약해졌을 때 귀신을 생각하면 공포를 느끼듯이 당국의 어떤 오해에 의한 어떤 사태를 예상하면 등에 식은땀이 나는 것이다. 당국이라고 반드시 실수를 저지르거나 오해하지 말라는 법은 없으니까 말이다.

작품 구상의 과정에서 받는 괴로움에 대해 이 정도로 얘기해두자. 이런 괴로움을 이겨내고 이루어지는 작품이 어쩌다가 한 편쯤은 있게 마련이고 그렇게 됐을 때의 즐거움은 그런 괴로움을 보상해주고도 남음이 있다고 감히 얘기할 수 있으니까.

나처럼 게으른 놈에게는 만년필을 들어 종이 위에 글을 쓴다는 일처럼 싫은 일이 없다. 더구나 소설이라는 괴물을 쓴다는 것은 말할 수 없이 지겨운 일이다. 도대체 이제까지 몇 편이나 써냈다고 그런 엄살을 부리느냐고 웃을지 모르나, 많이 쓴 사람만 그런 엄살을 부려도 허용될 수 있다고 얘기할 수 있을까 하는 생각이다. 왜냐하면 소설 한 편은 그전에 썼던 다른 소설의 연장이 아니니까 말이다.

종이 위에 머릿속의 얘기를 옮겨놓는 과정에 생기는 괴로움을 얘기한다면 대강 다음과 같다.

첫째로 얘기할 수 있는 것은 어떻게 하면 할 얘기의 주제와 맞아들어가는 문체를 얻느냐 하는 것이다. 흔히 말하는 주제를 효과적으로 나타낼 수 있는 문체 또는 형식을 얻어야 하는 노력이 있게 되는 것이다.

　그뿐만 아니라 나의 욕심을 털어놓는다면, 우리나라에는 아직 없던 형식, 그러면서도 '그 자식 재치를 지나치게 부렸더군' 하는 얘기를 듣지 않을 형식, 그러면서 다음 세대의 작가들에게 좋은 영향을 줄 만큼 우리나라 말의 폭이나 깊이를 추구한 형식이어야 하는 문제가 생기는 것이다. 그러나 내 욕심이 얼마만큼이나 충족될 것인가! 사실 어떤 한 사람의 말투나 한 작가의 문체란, 즉 그것이 그 사람의 의식이므로 마치 그 사람의 얼굴처럼 고정되어버리기가 아주 쉽다. 그런데 의식을 금방금방 바꾼다는 것은 결코 쉬운 일이 아니며(사실은 그럴 필요도 없을지 모른다) 설령 바뀌었다고 할지라도 그것이 반드시 그전 의식보다 더 나은지 어떤지를 자신은 판단하기 어렵다. 물론 시행착오라는 말로 변명이 될지 모르나 창작품의 경우에는 작품 한 편 한 편이 그 자체로 갖는 비중이 너무 크기 때문에 작가가 그것을 어떤 커다란 물건의 일부분으로 취급하기는 두려운 것이다. 내가 생각하기에 가장 훌륭한 작가는 일생 단 한 편의 작품을 쓴 사람이다. 그러나 그런 성인을 기대하는 것은 거의 불가능한 일이고 결국 얼마나 그때그때의 자신에게 충실했느냐는 질문에 좋은 대답을 주는 작가도 훌륭하다고 생각하기로 했다.

애기가 좀 엄숙한 방향으로 발전한 것 같다. 내가 종이 위에 소설이라는 이름의 글을 쓰면서 겪는 괴로움으로서 두 번째 것은 언어를 내 의지로 조정하기 힘들다는 사실이다. 마치 손에도 뇌가 따로 있어서 머리와는 상관없이 손 속의 뇌가 지시하는 바에 따라 글이 써지는 듯하다. 이 애기를 어떻게 들으면 '그게 글 쓰는 사람이 글 쓰지 않는 사람과 다르게 가진 재주다'고 애기할 수 있을는지 모르나 나로서는 정말 어리둥절하기만 하다. 말하자면 어리둥절한 상태로 글을 쓰는 것이다. 그러므로 나는 지금 쓰는 것이 확실히 내 생각인지 아니면 어디서 읽은 다른 사람의 생각이 무의식 속에 숨어 있다가 튀어나오는 것인지 알 수 없다는 염려에 사로잡힌다. 이렇게 쓰여서 발표된 글이 설령 많은 독자에게 좋은 평을 얻었다고 하더라도 나로서는 마치 아무 목적 없이 휘두르는 펀치가 상대편의 급소에 맞아 상대편을 거꾸러뜨린 권투 선수가 느낄 것 같은 느낌을 받는다. 요컨대 그런 어리둥절한 상태 속으로 들어가려면 잠이 들면 악몽만 꾸는 사람이 잠자리 속으로 들어갈 때와 같은 기분으로 들어가지 않으면 안 된다. 오늘 저녁에는 제발 좋은 꿈을 꿀 수 있었으면 하는 소망을 가지면서 잠자리 속으로 들어가는 것이다.

영국의 어느 작가가 '소설은 악마와 함께 펜을 잡고 쓰는 것이다'는 뜻의 말을 한 것도 그 작가가 어쩌면 나처럼 어리둥절한 상태를 겪었기 때문이 아닐까 하는 생각이다. 그 어리둥절한 상태 속으로 들어가기가 무서워서 나는 뻔히 원고료라는 매력적인 물건을 눈앞에 보면서도 요 핑계 조 핑계로 글을 잘 쓰려 들지 않는 것 같다.

자작 해설

    읽기에 별로 까다롭지도 않은 소설을 그 쓴 사람이 해설하는 것은 싱거운 짓 같아서 출판사에서 요구하는 '자작 해설'을 쓰는 데 몹시 망설였다. "하나의 작품에는 작자의 몫이 있고 독자의 몫이 있고 신의 몫이 있다"는 앙드레 지드의 말에 나로서는 대찬성인데, 이 말에 내 의견을 덧붙인다면 "한 편의 소설은 구상·집필·발표의 과정을 거쳐 독자가 읽어주고 그 독자가 그 소설에 대해 자기 나름의 의미를 띠게 될 때 드디어 완성된다"고 하고 싶은 만큼 독자가 자기 나름의 의미를 부여하는 데 훼방을 놓기 쉬운 '자작 해설' 따위는, 내 생각으로는 그야말로 사족인 셈이다. 하면서도, '독자에게 친절'을 큰 의무로 아는 출판사 측의 요구가 저렇게 심하니 해설이라기보다 이 책에 실린 작품 한 편 한 편들의 모티브나 밝히고 그 언저리 얘기나

씀으로써 '자작 해설'에 대신하겠다.

「건乾」은 1962년, 대학 3학년 때 김현·최하림과 문학동인지 《산문시대》의 발간을 준비할 때 쓴 것이다. 세 사람이 각각 소설 두 편씩을 써 싣기로 했는데 내 경우 한 편은 그해 정월에 한국일보 신춘문예에 당선된 「생명연습」의 재수록이고 다른 한 편이 이 「건」이다.

이 작품은 당시 출판되어 우리 문학 지망생들에게 상당한 영향을 주었던 신구문화사의 『세계 전후 문제작품집』 중 「일본 전후 문제작품집」에 실린 오에 겐자부로 씨의 「사육」을 읽은 덕택에 쓸 수 있었다. 그 작품의 문체 때문에 문득 나는 내 어린 날의 모든 경험을 재검토하게 되었고, 내 성장의 정신적 풍토를 추체험하게 되었다.

이 작품 속의 방위대 본부에 대한 빨치산의 습격, 소각 사건은 실제로 내가 순천에서 자라면서 겪었던 사건이고, 내가 자란 정신적 풍토는 실제로 친척 중 한 사람은 빨치산이고 다른 한 사람은 빨치산을 잡아 죽여야 하는 경찰이라는 식의, 사상思想의 횡포가 우리의 전통적 인간관계 위에 군림하는 것을 피부로 느껴야 하는 곳이었다. 사상과 조직은 적어도 나에게는 인간을 살게 하려고 있는 것이 아니고 인간을 죽이려고 있는 것으로 생각되었다. 이 생각은 많은 세월이 지나갔고 어떤 의미건 내 나름의 사상을 가지게 된 지금의 내 내면 밑바닥에도 무겁게 버티고 있는 것 같다.

「염소는 힘이 세다」는 1965년(?) 《자유공론》 창간호에 그때 그 잡지의 기자이던 김영태 씨의 지시로 발표한 작품이다.

산문시를 쓰고 싶다는 것은 지금까지도 내가 가진 욕망 중 하나인데 이 작품에서 그 욕망을 처음 시도해보았으나 단순한 단편소설로 끝나버린 것 같다. 나의 다른 소설들과 마찬가지로 이 작품 역시 '서울에서 산다는 것'에 대한 작고 부분적인 연구다.

「무진기행」은 1963년 《사상계》에 그때 그 잡지의 문화 담당이던 한남철 씨의 지시로 실은 작품이다. 그해 2월, 나는 학점 미달로 대학교 졸업을 못 하고 한 학기 더 다녀야만 하게 되어서 몹시 우울했다. 9월에 시작하는 2학기에 등록하기로 하고 일단 휴학계를 내고 고향으로 내려가서 이불을 뒤집어쓰고 소설이나 끄적이며 지냈다. 그때 문득 든 생각이 '왜 나는 서울에서 실패하면 꼭 고향을 찾는가' 하는 것이었다. 그 한 줄의 생각이 이 작품의 모티브다. 그러나 지극히 개인적인 체험만 가지고 보편성을 떠야 하는 소설을 쓴다는 것은 이만저만 뻔뻔스러운 짓이 아닌 것 같아서 그 한 줄의 생각을 내 바로 앞 세대에 속하는 이들의 한 가지 특징이라고 내가 생각하는 도피주의, 그 행동 양식에 결부해 소설로 형상화해보려고 한 것이 이 작품이다.

작품 속의 '술상 머리에서 유행가를 부르는 음악 선생님'은 고향에서 이 작품을 쓸 무렵에 실제로 내가 우연히 보았던 풍경이다. 서울의 경희대학교 음악대학을 졸업하고 순천의 모 고등학교에 갓 부임한 여선생이었는데, 우연한 자리에서 유행가를 부르는 모습을 보니까 '우리나라에서는 대학 교육을 받는다는 것이 도대체 무슨 의미가 있다는 말인가' 하는 생각이 들어 몹시 딱해 보였던 기억이 난다.

이 작품과 관련된 또 하나의 기억은 이 작품의 원고를 잡지사에 우편으로 부치기 전에 마침 동인지 인쇄 관계로 전주에 모인 김현·최하림에게 이 작품을 낭독해 들려주고 강평을 청했더니 "별로 좋은 것 같지 않다. 발표하지 않는 게 좋을 것 같다"고 하여 나 역시 몹시 미심쩍고 탐탁지 않던 차에 그만 찢어버릴 작정이었으나 잡지사 한남철 씨에게 약속한 기일 안에 원고를 써보긴 했다는 표시는 해야 할 것 같아서 "제발 잡지에 싣지 말고 돌려보내주시면 다음에 좋은 글 써 보내겠습니다"는 편지와 함께 부쳤고, 한남철 씨는 내 부탁 편지 같은 것은 아랑곳하지 않고 잡지에 발표해버렸다.

그런데 뜻밖에도 독자들에 의해 이 작품이 오늘날까지도 내 대표작처럼 되어버렸다. '멋모르고 내휘두른 펀치에 상대방이 녹다운됐다'는 표현이 있지만 이 작품에 대한 반향 앞에서 나야말로 그런 자의 어리둥절함을 느껴야 했다. 아마도 내가 가장 우울했던 시기에 가장 순수한 슬픔만을 가지고 쓴 데서 이 작품은, 나 자신은 미처 몰라본 어떤 호소력을 우울한 생활을 하는 사람들에게 갖게 한 게 아닌가 하고 생각해본 적이 있다.

「차나 한 잔」 역시 「무진기행」과 함께 쓴 작품이다. 《세대》의 편집장 이광훈 씨의 지시로 쓴 것인데, 그때까지의 서울 생활 4년을 통해 내가 느꼈던 도시 문화인의 불안을 희화적으로 써보려 했다. 나는 60년도, 대학 1학년 2학기 때, 걸핏하면 애 머리통을 쥐어박아야 하는 가정교사 노릇보다는 나을 것 같아서 아르바이트로 서울경제신문에 「파고다 영감」이라는 연재만화를 매일 그렸는데, 그때의 작은 경험이 이 작품을 쓰는 데 도움이 되었다.

「환상수첩」은 1962년《산문시대》제2집을 위해 쓴 작품이다. 특별히 말할 만한 작품의 모티브는 없으나 나로서는 동인지에 발표한다는 느슨한 기분 덕택으로 나의 센티멘털리즘을 실컷 쏟아 넣을 수 있었던 작품이다. 센티멘털리즘이 많이 마멸되어버린 지금 후회되는 것은 쓸 수 있었을 때 이런 작품을 좀 더 많이 써놓을 걸 하는 것이다. 그때 우리의 동인지《산문시대》를 아무 보수도 받지 않고 인쇄해주던 인쇄소는 전주의 가림인쇄소였는데 제2집 인쇄를 위해 전주에 가 있는 한 달 동안 남문 부근의 싸구려 여인숙 한 방에서 강호무의 재촉을 받아가며 이 작품을 써내던 일이 그렇게 생생하다.

동인지에 발표된 직후 문리대 안의 학우들, 특히 지방 출신 학우들이 마치 자신의 얘기를 대신 써준 듯하다고 공감을 표시해왔을 때 나는 태어나서 처음으로 글 쓰는 기쁨을 느낄 수 있었던 것도 기억난다.

「누이를 이해하기 위하여」는 1963년 역시《산문시대》제5집을 위해 전주에 갔을 때 신석상 형의 방에서 쓴 작품이다. 그 무렵 나는 수년 동안 사랑한 여자가 자기 부모의 강요로 다른 남자와 결혼해버린 일로 몹시 앓던 중이라 제대로 뼈대를 갖춘 소설 같은 것을 쓸 정신 상태가 아니었다. 도대체 조리 정연한 모든 것은 나하고 아무 관계가 없어 보였다. 조리를 갖춘 소설 역시 사기 같았다. 그런 상태에서는 이런 형식의 작품 이상으로 조리 있는 작품이 란 써지지 않았다. 이 작품은 애당초 연작의 한 부분으로 시작한 것인데 이제나저제나 뒤가 무른 성미 탓에 나머지 부분들은 메모만 쌓였을 뿐 아직 시작도 못 했다. 언젠가 는 완성해 따로 책 한 권으로 묶고 싶다.

「확인해본 열다섯 개의 고정관념」은 「무진기행」과 「차 나 한 잔」을 쓸 무렵 고향 집에서 아름다운 황혼의 하늘을 바라보고 앉아 있다가 문득 상이 떠올라 책상 앞에 앉아 단숨에, 세 시간 만에 써버린, 나로서는 가장 빨리 쓴 작품 으로 내 기억에 남아 있다. 발표는 《산문시대》에 했다.

「역사力士」를 쓴 것은 1962년 여름이었으나 발표된 것 은 다음 해 여름 《문학춘추》에서다. 모티브는 오래전에 써 둔 한 장의 메모였다. 작품 중에 나오는 "빈민가에 저녁 이 오면 공기는 더욱 탁해진다. 멀리 도시 중심부에 우뚝 우뚝 솟은 빌딩들이 몸뚱이의 한편으로는 저녁 햇빛을 받 고……"로 시작하는 부분 이하의 한 절이 그 메모인데, 언 젠가는 작품 속에 그것을 끼워 넣고 싶다고 생각하며 하나의 풍경 묘사로서 해둔 메모였다. 거꾸로 말하자면 이 메모를 써먹을 만한 작품을 구상하기 시작한 것이 「역사」의 모티브다. 또 하나는 만일 우리 작품이 외국어로 번역되어 외국인에게 읽히면 그 속에 우리의 눈에는 다소 비사실적인 것도 외국인의 눈으로 보면 사실적으로 보일 수도 있지 않겠는가. 가령 로렐라이라는 바위가 독일에 가보지 않은 우리의 상상 속에서는 굉장히 장엄한 바위로 생각되듯이, 하는 생각으로. 다시 말하면 외국인의 시점으로 이 작품의 소재를 검토했을 때 나는 대담한 데포르마시옹을 시도할 수 있었다. 동대문 성벽의 석괴 옮겨놓기 따위로 말이다.

이 작품의 발표 과정에서 잊을 수 없는 에피소드가 있다. 그때 나는 신춘문예에도 당선했겠다, 동인지에 작품도 발표했겠다, 내 딴에는 기성작가라고 자처하고 강의 시간도 빼먹고 대학교 도서관에서 며칠 걸려 이 작품을 쓰자마자 학교와 가까운 거리에 있는 현대문학사로 달려가 구면인 편집부의 김수명 여사에게 내밀고 원고료와 바꾸자고 했더니 "일단 두고 가라. 실을지 안 실을지는 내용을 검토하고 난 후에"라고 말하는 것이었다. 원고료를 받으면 우선 실컷 먹자고 잔뜩 기대하며 김현·최하림까지 끌고 간 터에 그런 대답을 들으니 김 팍 샜으나 할 수 없는 일이었다. 며칠 후, 오라는 날에 다시 갔더니 주간이신 조연현 선생께서 "우리 잡지는 신춘문예 당선을 우리 잡지 추천제의 한 번 추천으로 인정하니 이 작품으로 나머지 한 번의 추천을 받으면 우리 잡지에는 그때부터 기성작가로 대우해주겠다"는 것이었다. 그때까지도 비록 소설 비슷한 것을 끄적이고 동인지 활동도 해보고는 했지만 직업으로 소설가가 되겠다는 생각은 조금도 하지 않던 나로서는 뭔가 재갈을 물리는 듯한 역겨움을 느꼈고 조 선생의 권위주의에 대한 반발감 때문에 아무 소리 않고 원고 뭉치를 도로 받아서 나와버렸다. 속으로 '앞으로 내가 소설을 쓰는 동안에는《현대문학》에는 절대 소설을 발표하지 않겠다'고 다짐했는데 지금까지 그 다짐을 지키고 있다. 지금 생각하면 뭐 그렇게 앙심을 먹을 일은 아니었다고 생각하지만, 그러나 그 다짐을 계속 지키고 싶은 이유는 그만한 작은 다짐이라도 하나쯤 가지고 있는 쪽이 재미있게 살아가는 방법이 아니겠냐 하는 생각 때문이다.

이 작품은 그 후《세대》의 이광훈 형에게 맡겨보았으나 역시 이름 없는 작가의 작품이라는 이유로 실리지 못하고 이 형의 책상 서랍 속에서 썩고 있는 것을 도로 찾아다가 휴학하고 고향으로 내려가는 날 밤 황순원 선생에게 맡기면서 "《현대문학》이 아니면 어디든지 좋으니 선생님께서 소개해주실 수 있는 잡지에 발표할 수 있도록 해주십시오" 부탁했고 그랬더니 다음 해 여름에 전봉건 선생이 편집하던, 창간한 지 얼마 안 된 《문학춘추》에 실려서 드디어 햇빛을 보게 되었다. 말하자면 「역사」는 나에게 문단 초년생의 설움을 톡톡히 맛보게 하고 동시에 동인지가 아닌 상업지를 통한 최초의 작품 발표의 기쁨을 맛보게 하고 최초의 원고료를 받아보게 한 작품이다. 또한 다음 달 월평月評에서 유종호 씨가 퍽 요란하게 이 작품을 칭찬해주셨는데 평론가로부터 최초의 작품평을, 그것도 호평을 받아보게 한 작품으로서 「역사」는 나에게 역사적 의미가 있다고 하겠다.

「서울, 1964년 겨울」은 1965년 《사상계》의 역시 한남철 씨의 지시로 발표한 작품이다. 신촌 이화여대 뒷마을에 있던 오태석·고행자의 방에 끼여 지내면서 다방 같은 데서 틈틈이 노트에 써대던 기억이 새롭다. 이 작품으로 그해 동인문학상을 받게 되어 갑자기 신문에 사진이 실리는 등 화제 작가가 되어 얼떨떨해하던 기억도 생생하고, 고행자가 이 작품과 동인문학상을 두고 한꺼번에 "야, 사기다 사기!" 하던 말도 생생하다. 이 작품의 모티브는 단순했다. "재미있는 유머 소설 한 편 써보겠다."

「야행夜行」은 1966년 《월간중앙》의 한남철 씨의 지시로
발표한 것이다. 생각해보면 우리나라 문단 사정으로는 한
작가는 자기를 아껴주는 편집자를 만나게 되면 큰 행운이
라고 할 수 있는데 나에게 한남철 씨가 바로 그런 고마운
분인 것 같다. 한동안 영화계 쪽 일에만 매달려 지내느라
소설을 쓰지 않는 내가 보기에 딱했던지, 그 역시 잡지 일
에 매달려 소설을 자주 쓰지 않던 한남철 씨가 어느 날 우
리 집에 와서 이틀씩 옆방에 이불을 깔게 하고 누워 버티
며 억지로 쓰게 만들어 나온 작품이 바로 이 「야행」이다.

모티브는 무엇이었는지 뚜렷이 기억나지 않으나 아마
도 메모 상자를 뒤적여 몇 개의 메모를 조립해 구상하기
시작했던 것 같다. 나로서는 항상 여러 앵글에 의해 여러
의미가 추출될 수 있는 소설을 쓰는 것이 작품 쓸 때마다
의 포부인데, 이 작품 역시 베트남전쟁 참전에 대한 우리
국민의 태도에 대해 야유를 한다는 보물찾기 쪽지를 숨겨
놓고 소설 언어의 살을 입힌 것이지만 지나치게 형상화해
버린 탓인지 모두 단순한 풍속소설 또는 여성 심리소설로
만 보는 것 같다.

이 책에 수록된 작품들을 읽어주신 분들이여, 제발 다시 한 번 부탁드리지만 이따위 너절한 잡담이, 작품 자체가 당신들께 속삭여준 얘기를 맛없게 해버리지 않도록!

작가와 비평가의 현실적 원근론

이 '문단 로비' 난은, 누가 생각해냈는지 참 잘 생각해냈다는 생각이 든다. 문인들의 정신 위생을 위해서도 좋고 다른 페이지들을 아끼는 뜻에서도 좋은 것 같다.

글 쓰시는 분들을 만나면, 한국 문인 사회의 전통적 규범에 따라 으레 술집으로 몰려가서 한바탕 떠들곤 하는데 그런 자리에서는 또 으레 별의별 불만, 별의별 비방, 별의별 칭찬, 별의별 아이디어가 쏟아져 나온다.

그것 중에는 본격적인 작품이 되기에는 좀 그렇고, 그렇다고 한 귀로 듣고 한 귀로 흘려버리기에는 좀 아까운 느낌이 드는 얘기도 퍽 많다. 그런 얘기들을 입으로 흘려버릴 게 아니라 글로 써서 이런 난에 발표하면 술집에서처럼 가슴도 후련해지고, 그러나 술집에서와는 반대로 돈도 생기고 할 테니 좀 좋은가!

그뿐 아니라 가뜩이나 적은 월평란에 작품평이 아닌, 매우 개인적인 얘기를 하는 비평가와 뾰족한 주제 없이 자기 주변의 얘기를 늘어놓는 소설을 쓰는 소설가들은 그 지면을 다른 분에게 양보하고 이 난에 그 얘기들을 쓰시는 게 좋을 것 같다.

그런데 월간문학사에서 일하는 이문구 형의 하소연을 들어보면 이 난의 글 부탁을 받는 분 중 열에서 여덟 정도는 펄쩍 뛰며 손을 내젓는다는 것이다. 특히 소설가들이 그렇고, 소설가 중에도 나처럼 요즘 작품 생산 성적이 썩 좋지 않은 이들이 특히 그렇단다. 이해할 수 있는 일이다.

그러나 이 난을 쓰는 사람이나 읽는 사람이나 술집 정도로, 또는 '로비'라는 뜻 그대로만 생각하기로 하면 뭐 펄쩍 뛰며 모욕당했다는 얼굴까지 할 필요는 없을 것 같다. 또 설령 자신은 정신 위생 관리가 잘되어 있는 덕택에 이런 난을 빌리고 싶지 않다고 할지라도 이 난 자체나 이 난을 빌리는 이들을 비웃어서는 안 될 게다. 비웃는 분은 도량이 넓은 신사가 아니고, 신사가 아니면 대개 이 난을 이용할 자격이 있는 분일 게다.

하기야 어떤 분들은 자칫 잘못하여 주사가 심한 이를 만나 싸움에 말려들까 봐 술집을 피하기도 한다.

나 역시 싸움은 질색이다. 하지만 술집에서 벌어진 싸

움판에서는 다리야 날 살려라 도망친다고 해서 비겁하다고 하는 사람은 없다. 싸움이 벌어질 듯한 눈치가 보이면 도망쳐버린다. 이쪽이 하고 싶은 말이나 실컷 하고 도망쳐버리는 것이다. 아니, 미처 다 말하기 전에 상대편의 주먹이 날아오면? 아쉽겠지만, 역시 도망치자.

물론 이런 짓이 엄숙한 회의실에서는 용서받을 수 없다. 독백하고 싶은 사람들이 모이는 술집이니까 가능한 것이다. 회의실이란 엄숙한 어떤 목적을 위해 대화하는 곳이고, 대화 도중에 회의실을 나가버리는 이는 비겁하다는 말을 들어도 싸다. 비겁함이라는 말이 나왔으니 말이지 회의 도중에 자기 의견과 다르다고 흥분해 날뛰는 것 역시 비겁한 짓에 속한다. 회의실 옆에는 으레 휴게실이 있게 마련인데 그 까닭은 회의실을 더 회의실답게 하기 위해서다. 회의 중에는 흥분을 참았다가 휴게실에서 터뜨리면 회의도 방해하지 않고 자신의 건강도 좋을 것이다.

또 이 난의 집필자가 되기를 꺼리는 분 중에는 입으로 지껄이는 것은 비교적 책임지지 않아도 좋은 말이고 여기에 써야 하는 것은 글인데 글이라면 작품을 쓰지 이런 잡문은 쓰지 않겠다는 생각을 하는 분도 있는 모양이다. 털어놓자면, 나 역시 그런 생각이 옆구리를 쿡쿡 찌르는 바람에 주춤주춤했다. 하지만 가만히 생각해보니 그 생각이 전적으로 옳지만은 않은 것 같다.

조금 다른 얘기가 될지 모르지만, 우리나라 소설가들 사이에는 잡문 콤플렉스가 없지 않은 듯하다. 이 고상한 콤플렉스를 전염시킨 장본인은 내가 알기로는 우리가 모두 작가로서 진심으로 존경할 수 있는 황순원 선생이신 모양인데, 실제로 나는 한 신문기자가 "나는 그분이 잡문을 안 써서 좋더군" 하고 말하는 것을 들었고 많은 문인이 그분의 그 점에 존경의 뜻을 표하며 자신도 본받아야겠다는 표정을 짓는 것을 보았다.

그러나 그런 표정을 짓기 전에 잠깐 생각해봐야 할 게 있다. '나는 존경을 받고 싶다. 그런데 잡문을 안 쓰니까 존경받더라.' 이것은 좀 곤란한 얘기가 아닐 수 없다. 아마도 황 선생께서는, 뭐 존경받자고 잡문을 안 쓰시는 것은 아닐 게다.

언젠가 그 점에 대해 여쭤봤더니 "이 사람아, 소설에 쓸 소재를 흘려버리게 되잖나!" 하시며 웃으시는데, 이것은 물론 진심이 약간만 섞인 농담이었을 것이다. 그것만이 잡문을 쓰지 않는 이유라면 선생께서는 소재를 찾으려고 애쓰는 점에서 매우 게으름뱅이시며, 선생이 잡문을 안 쓰신다는 점을 존경하는 이들은 결과적으로 게으름뱅이이기에 존경한다는 묘한 짓을 하는 셈이 된다.

내 생각으로는, 내 경험에 비춰 선생의 진심을 짐작해 보면, 잡문에는 많든 적든, 크든 작든 쓰는 사람의 의견 또는 주장이 안 들어갈 수가 없는 법인데 글로 나타낸 의견이나 주장이란 술김에 한 말과는 달라서 그 쓴 사람이 앞으로 무슨 생각이나 일을 하는 데 굉장한 구속이 되고, 구속이란 대부분 얌전한 사회인이 되기 위해서는 자꾸자꾸 필요할지라도 소설 제작에는 신통한 노릇을 해주지 않기 때문이다. 잡문을 안 쓰는 한이 있더라도 소설 쪽을 아낀다는 선생의 태도가 소재 운운보다는 아마 이런 뜻에서이리라. 그래야만, 적어도 나는 선생께 드리는 존경에 안심이 된다.

무슨 얘기를 하려고 했던가? 아, 잡문 얘기였지.

그런데 한편으로 잡문 안 쓰는 분들을 존경하는 이들은 대부분 당연한 일이겠지만 잡문 쓰는 분들에 대해 퍽 심한 경멸감을 느끼는 것 같다. 이 현상은 문인들 사이에서뿐만 아니라 대학교수들 사이에서도 보이는 모양이다. 하기야 잡문 쓸 시간이나 여유가 있으면 전공에나 좀 더 열심히 하라는 뜻의 비웃음일 게다. 그러나 현실적으로 잡문 쓸 여유가 없는 정도의 전공이란 별로 흔하지 않다. 가능하다면 전공도 열심히 하고 잡문도 열심히 쓰는 게 좋을 것이다. 아주 나빠서 무해 무익할 정도의 것이라면 많을수록 좋다. 선조로부터 물려받은 우리의 피 속에는 아마 많은 재산에 대한 공포증도 있는 모양인지 아주 다급하게 필요한 것 외의 나머지는 따져보지도 않고 해로운 것으로 생각해버리는 버릇이 우리 사이에 없지 않다. 이러다가는 별수 없이 가난할 수밖에 없다.

좀 이상하고 듣는 편에서 보면 코웃음 쳐버릴지도 모를 고백이지만, 지난 몇 년간 이른바 '슬럼프'라는 것에 걸려 작품을 거의 생산하지 못하고 끙끙대는 동안 내가 우리 문화에 가장 미안하게 생각한 것은 바로 무해 무익한 작품이라도 써서 문화의 양에 보탬이 되지 못하고 있다는 점이다. 물론 이 미안한 느낌이 나의 가해 망상증을 이겨내지 못했기 때문에 슬럼프라는 병이 낫지 못하기는 하지만 그 미안한 느낌은 꽤 크다.

요컨대 많다는 것은 좋다고 나는 생각한다. 춘원 선생의 글도 실제 남은 양보다 더 많았으면 좋겠고, 동인 선생의 글도 더 많았으면 좋겠고, 다른 모든 분에 대해서도 그렇다. 그 글이 작품이든 잡문이든 말이다. 좀 더 많았더라면 우리는 좀 더 부자일 게고 좀 더 적었더라면 우리는 좀 더 가난할 게다.

그런 뜻에서도 이 '문단 로비' 난은 쓸모가 있다. 그런데 문득 어디선가 말하는 것 같다. "그래, 너나 많이 써라, 많이 써!" 제발 그러지는 마시기를!

　슬슬 취해온다. 주정이나 해보자.

　작년에 또 근대문학이 시작된 이후 우리 비평계의 만성
병이 돼버린 느낌인 이른바 '현실참여 대 순수' 논쟁이 도
지고 김주연 형이 《68문학》에 「소시민」이라는 평론을 발
표하고 나서 공부한다고 미국으로 가버리고 난 후 들려오
는 소문이 하 험악해서 나는 영향력 있는 잡지나 신문들
을 꽤 열심히 찾아 읽었다. 나처럼 문학 초년생에게는 그
런 논쟁들이 퍽 대단해 보인다. 별다른 논쟁이 없으니까
더욱 그렇고, 몸소 싸우는 것은 달가워하지 않지만 싸움
구경을 좋아하는 질이 낮은 성격 때문에 더욱 그렇고, 그
런데 그 싸움거리 중에는 내 이름도 슬쩍슬쩍 섞여 있으
니 더욱 그렇다.

　언젠가 서정인 형께서 제임스 조이스 선생에 관해 얘기
하시던 가운데 '밖에서는 사람들의 작품을 놓고 이러쿵저
러쿵할 때 그 작품을 쓴 사람은 방 안에서 손톱을 깎는다'
는 뜻의 얘기를 들려주었는데 그때 그 작가의 태도를 굉
장히 기뻐하던 나로서는 내가 싸움거리 중 하나가 되어
있는 부분에 대해서는 신경을 쓰고 싶지 않았다.

　또 내가 보기에는 반드시 그렇지만도 않은 몇몇 작가들

을 사회의식이 없다, 현실의식이 없다, 기교파다, 언어파다, 연軟파다, 해독을 끼친다 등등의 표현으로 몰아치는 이른바 '현실참여파'들이 내세우는 궁극적인 주장들이란 그분들이 그렇지 않아 보이는 작가들까지 마치 자기네의 적인 양 몰아치는 잘못을 저지른다는 점은 떼어서 생각하기로 하고, 옳고 또 옳았다. 그분들의 주장이 옳다고 생각하면서 그러나 한편으로, 세상에 어느 작가치고 현실의식 없이 작가 된 사람이 어디 있을까, 그런 의식 없이 원고지 위에 글이 쓰일 것인가, 화법이 다르고 표현이 다르고 소재가 다르고 다루는 현실이 부분적일 수는 있어도 현실의식 없는 작품이란 있을 수 없지 않은가, 그분들이 비난하는 표정으로 말하는 기교니 언어니 하는 것은 어째서 그분들의 궁극적인 주장의 적이 된단 말인가, 왜들 이렇게 핏대들일까, 움츠러드는 작가들에 대한 주의 환기 정도라면 어차피 새로운 얘기는 아니니까 옛날얘기도 해가면서 좀 부드럽게 요점이나 얘기하면 그만 아닌가, 두고 보면 싹수머리 있을 이들까지 싹둑싹둑 잘라가며 핏대들일까, 육성이 아닌 암호를 사용한다고 해서 의미가 달라질 수 있단 말인가, 암호를 사용한다는 점 때문에 작가이기도 한 게 아닌가, 암호의 판독에 대한 책임은 받는 쪽에 있지 않은가, 의미에 대한 시비는 우선 옳게 판독이나 해놓고 봐야 할 게 아닌가. 가만있자, 이렇게 핏대들인 까닭은 심심한데 또 싸움이나 붙여보자는 신문·잡지 편집자들의 장난에 말려들어서는 아닐까, 새로운 싸움에는 자신이 없고 이런 싸움은 해본 가락이 있거나 적어도 구경한 바 있어 싸우는 법을 알기 때문은 아닐까. 또 싸움의 결과는 신통치 않다는 것도 빤히 알고 심지어 이런 싸움이 무의미하다고까지 생각하면서도 다만 싸우고 난 후에 얻는 장점, 특히 대중들이 더 친근감을 느끼고 알아주며 더 필요하고 유식한 투사처럼 보아줄 수 있다는 점 때문에 싸우는 것은 아닐까, 그러기에 유리한 편에 미리 붙어서 상대를 만들어 싸움을 거는 것은 아닐까. 가만있자, 아무리 주정이라지만 이런 얘기는 좀 지나쳤다. 도무지 순진치가 못하다. 순진하지 못해서 늘 욕을 먹으면서 또……

　김주연 형의 오만한 글에서 비롯된 '소시민' 논쟁은, 시작은 김 형 글의 의미와 관계없는 오만하다는 태도 자체에 대한 반발에서 나온 듯한 인상이 없지 않지만 결과적으로 쟁점 자체에 집중되어 유지된 논쟁이라는 점에서, 누구 얘기가 옳았든 간에 꽤 기분 좋은 것이었다.

　아니, 지금 내가 무슨 총평을 하는 것인가? 그만두자, 이런 얘기는 회의실에서나 할 문제다. 주정이나 해라, 그래, 주정이나 하자.

작년에 '60년대를 보낸다'는 특집들도 참 많았다. 그중 어느 잡지의 어느 글에서 정창범 선생께서 나에 대해 애정 어린(나는 그렇게 보았다) 충고를 하셨다. 뭐 모두 고개를 숙이고 들어야만 할 글이었는데 그중 한 마디에 대해서만은 고개를 번쩍 들지 않을 수 없었다. '세상을 깜짝 놀라게 해주기 위해' 내가 소설을 쓰고 그날 자신이 없으면 글을 쓰지 않는다는 뜻의 말씀이었다. 나도 소설을 쓸 수 있는가 없는가 하며 끙끙거리느라고 게으름 피운 결과가 됐지만 글 안 쓰는 이유를 이런 식으로 생각해준다는 것은 어떻게 보면 몹시 기대한다는 격려의 뜻이라고 할지도 모르지만, 여간 난처한 말씀이 아니다. 남을 깜짝 놀라게 해주고 싶다는 심리는 정신병에 속한다. 물론 엄밀하게 진단해보면 내가 정신병자일는지도 모르긴 하지만, 소설을 써서 발표하는 과정에서는 다행히도 그런 증세가 나타나본 적이 아직 나한테는 없었다는 것을 말씀드리고 싶다. 모르긴 하지만 아마도, 모든 작가가 세상을 깜짝 놀라게 하기 위해, 또는 그래 주기를 바라면서 자기 작품을 발표하지는 않을 것이다. 자기 작품의 약점을 누구보다도 의식하면서, 자신 없이 망설이면서 때로는 원고의 재촉 때문에, 때로는 자신의 능력으로는 이 이상 더 어쩔 수 없다는 체념 때문에 눈 딱 감고 발표해버릴 것이다. 적어도 나는 그래 왔다. 그러다가 자신은 깨닫지 못한 자기 작품의 좋은 점을 비평가 또는 독자가 발견해주면서 그 점만이 강조되어 찬사를 받게 되면 뭐 당연하다는 표정을 꾸며보긴 하지만 내심 으쓱거려보고 싶기도 하고 한편 그보다 더 세차게 낯이 뜨거워지기도 한다. 오히려 깜짝 놀라게 되는 것은 이쪽이다. 그러다가 보면 깜짝 놀라게 해주고 싶다는 생각만으로 소설을 쓰게 되는 게 아니냐는 염려를 정 선생께서는 하신 것 같다. 그럴지도 모른다.

나로서는 아직 그런 경험을 해보지 못했다. 이것은 거짓 없는 주정이다.

내가 소설을 잘 못 쓰는 이유는…… 이러고 보니 황순원 선생의 농담도 그냥 농담이 아니었던 것 같다. 이런 얘기는 소설 속의 어느 인물에게나 시키려 했던 것인데 흘려버리게 되나 보다. 뭐 재탕해도 괜찮겠지……. 내가 소설을 잘 못 쓰는 이유는, 창피함을 무릅쓰고 털어놓자면, 소설을 쓰는 동안 엄습해오는 비현실감 때문이다. 가령 아내가 현실적인 몸을 움직여서 현실적인 에너지를 소모해가며 지어주는 현실적인 밥을 먹고 앉아서 형체도 없고, 있다고 믿기에도 자신이 서지 않는 이미지를 펜으로 붙잡아보려고 허둥대는 내가 너무나 비현실적으로 느껴지며 나 자신이 한 개의 깃털처럼 가벼운 허깨비로 보이는 것이다. 이런 비현실감은 나로서는 아직은 견디기 힘들다. 거기에 비하면 차라리 소설이 안 써져 초조하고 불안하고 구상한답시고 밤을 새우고 하는 편이 훨씬 현실감이 있어서 견딜 만하다. 물론 하루빨리 그 비현실감에 견딜 만큼 익숙해져야 하겠지. 따지고 보면 소설을 쓴다는 것은 또는 시를 쓴다는 것은 결코 비현실적인 일이 아니고 비현실적으로 느끼는 것은 단순히 정신노동자들이 육체노동자들에 대해 본래 느끼는 콤플렉스 때문일지도 모른다. 그나저나 그 비현실감을 이겨내지 않고서는 내가 작가가 된다는 것은 싹수가 노란 것 같다.

자, 한마디만 더 주접떨고 나도 이 술집에서 나가기로 하자.

현역 비평가들과 얘기하고 싶다. 비평가들이 큰일이든 작은 일이든 작가들을 향해 요구하는 얘기는 많아도 작가 쪽에서 비평가들을 향해 뭔가 요구하는 얘기는 그다지 흔치 않은 것 같다.

나는 '현역 비평가'들이라는 퍽 막연한 대상을 좀 나무라려고 하는데 그렇다고 그분들이 여태까지 나무람 받을 짓만 해왔다는 얘기는 물론 아니다. 최근 비평가들의 글들을 읽으며 느낀 내 나름의 걱정을 '70년대 문학을 위한 나의 제언'이라는 뜻도 곁들여 얘기하고 싶고 다짐받고 싶은 것이다. 내 나무람에 대한 사나운 반발이 있다면 앞에서 말했듯이 나는 멀찌감치 도망쳐버릴 작정이다. 자, 짖자.

좀 건방지게 들릴지도 모르는 말로 하라면 창작가들이 비평가들의 존재를 묵인해두는 가장 큰 이유는 그들을 무시해버리거나 경멸해버리거나 그들이 중간 상인이나 심판자로서의 효용 가치가 있기 때문이 결코 아니라 창작품은 비평에 의해 완성되는 것이라는 굳은 믿음이 있기 때문이다. 아무리 이것으로써 충분히 완성돼 있다고 자신하며 작품을 발표하는 작가일지라도 독자라는 비평가가 완성하기를 바라는 정도의 여백은 가지지 않을 수 없다.

가령 한 편의 작품에는 작가의 몫과 비평가 또는 독자의 몫과 신의 몫이 있다는 이론은 이미 상식이 아닐까? 그리고 현실적으로 우리는 무인도나 문학이 생기기 이전의 원시시대에 사는 게 아니므로 문학상의 많은 경험과 상식과 이론이 누적돼 있고, 비록 일시적이고 곧 폐기돼버릴지도 모르지만 지금으로써는 쓸모 있는 약속들이 지켜지는 세계에서 소설을 쓰는 것이므로, 가령 역설이니 풍자니 하는 따위의 화법을 사용할 수 있는 자유를 누리기도 하고 그 자유를 발판으로 하여 좀 더 적절한 화법을 찾아보려고 머리를 싸매기도 하는 것이다. 물론 작품을 읽어줘야 할 독자 중에는 비록 작가와 같은 공기를 같은 시간에 마시고 살면서도, 작가 쪽에서 생각하기에는 무인도나 원시시대에 사는 것과 다를 바 없어 보이는 이들이 적지 않긴 하다. 그리고 바로 그런 점을 강조하기 때문에도 작가는 자신의 작품이 비평에 의하여 완성되기를 기대하게 되는 것이다. 그러한 기대에 더욱 욕심을 부리자면 작가 자신의 의도가 정확하게 전달되기를 바랄 뿐만 아니라 관점이 다른 비평에 의하여 제 나름대로 그럴듯한 작품들로 분열되기를 바라는, 모순된 기대조차 작가는 지니기도 하는 것이다.

그런데 작가의 이러한 완성에 대한 기대를 무시하지 말아주기를 바란다. 그러한 기대가 불가능하다면 작가는 이 이상 작품을 '만들려고' 의식하지 않을 것이다. 다만 관찰했던 것만을 전달해주고 싶고 다만 주장만을 하고 싶다면 작가는 자신이 본 세계와 닮은 모습의 옷을 작품에 입혀보려고 수고하는 대신 더 직접적이고 소박한 형식, 가령 수필이라든가 논설의 형식으로 얘기할 것이다.

실제로 수필 같은 소설, 논설 같은 소설이 없다는 얘기는 절대 아니다. 그러나 그러한 소설들은 수필이나 논설이 나타낼 수 있는 효과를 계산해 빌려온 것이고, 대개 수필이나 논설이 그러하듯 독자의 동감 아니면 이견만을 기대할 뿐이지 해석 또는 의미 부여라는 의미에서의 비평을 기대하지는 않는다.

만일 수필이나 논설이 비평가의 손길을 기대한다고 해도 그것은 더 많은 사람에게 읽히기를 기대해 비평가가 중간 상인으로서 역할을 해주기를 바라는 뜻에서 기대할 뿐이고 그런 역할이라면 신문기자나 잡지 편집자의 해설에 맡기는 편이 낫다.

창작품이 이제까지 의미 없던 세계에 의미를 주기 위해 존재하듯, 비평은 창작품의 의미에 의미를 주기 위해 존재하기를 작가는 비평가에게 바란다.

이따위 상식을 새삼스럽게 비평가들을 향해 애기하는 이유는 최근의 몇 가지 현상에서 일부 비평가들이, 작가의 입장에서 보면 비평 자체가 본래 지니는 필요악적인 요소에 불과한 것들에 지나치게 의존하고, 심지어 그 필요악을 최대한으로 팽창시켜 다음에 올 이들한테까지 전염시키려 하는 듯한 인상마저 주고 있어, 허락하신다면 나도 작가의 한 사람으로서 몹시 걱정되기 때문이다.

비교가 그 필요악 중 하나인데, A를 가치 있게 하려고 B를 무가치하다고 단정하는 것이 수사학적으로는 필요하겠지만 B를 무가치하다고 단정하기 위해서는 먼저 B의

가치에 대한 정확한 판단이나 적어도 곡해한 대로의 가치 설정이 앞서 이야기돼야 한다.

그런데 내가 본 비교 중 많은 것들이 비교하기 위한 비교라는 잘못을 저지르고도 시침 뚝 떼는 것이다. 같은 가치에 발을 대고 서 있으면서 더 선명한 표현을 얻었느냐 덜 얻었느냐의 차이에 불과한 작품들을 가치 면에서 비교한다는 것은 큰 잘못이다.

필요악 중 또 하나는 당대에서의 분류인데, 분류라는 도구는 인류에게 많은 유산을 남겨줬음이 틀림없지만 '당대의 분류'란 위험천만하기 이를 데 없다. 물론 그것이 무의미하지만은 않다. 그것을 사용함으로써 개별적이고 특수한 의미들이 집단적이고 보편적인 의미로 편입된다는 좋은 점이 있다. 그리하여 분류들의 종합에서 한 시대의 모습이 선명하게 드러나고 인간 능력의 새로운 면이 발견됨으로써 다음에 오는 사람들의 도구로써 사용되기도 한다.

거꾸로 말하자면—아니, 분류의 실제적인—한 시대의 모습이 선명하게 드러나고 인간 능력의 새로운 면이 발견될 수 있는 분류를 해야 한다. 그러한 작업을 하기 위해서는 무엇보다도 먼저 분류자의 객관적인 분류 기준이 설명되어야 할 것이고 그리고 가능한 한 분류자 자신의 지나친 목적의식이 작용하지 않고, 설정된 분류 기준이 지시함에 따라 분류 대상들이 동류끼리 모이도록 내버려둬야 할 것이다.

분류란 이처럼 과학적인 것이기 때문에 비평가로서의 소임이 아니라 문학사가로서의 소임이다.

물론 한 사람이 비평가와 문학사가의 역할을 겸할 수 없다는 얘기는 아니다. 안타까운 것은 상당수의 비평가가 뻔히 알 텐데도 별로 칭찬할 만하지 못한 목적 때문에 비평과 문학사적인 분류를 한 편의 글 속에 섞어버린다는 것이다.

그런 글을 대하고 가장 당황하는 것은 바로 작가다. 그 당황이 계속되면 민감해지거나 미처 대가의 경지에 들어가지 못한 작가는 비평에 의하여 완성되기를 기대하는 작품을 쓰기보다는 문학사가의 비위에 맞는 글을 쓰기 위해 더 신경을 소모하게 된다. 그런 결과로는, 끊임없이 성장해야 하고 성장이라는 의미에서 자기 탈피를 감행해야 하는데도 자기 모방만을 일삼는 작가가 되고 마는 것이다.

작가에게 가장 치명적인 타격은 외부에서 오는 것으로는 무관심이고 내부에서 오는 것으로는 바로 이 자기 모방이다. 자기 모방의 위기를 느끼고 그 위기를 벗어나려고 할 때 비교적 심장이 약한 작가는 붓을 쉬게 되고 그 위기를 벗어나지 못했을 때는 비슷한 작품만 양산해냄으로써 '재미없는 작가'라는 달갑지 않은 칭호를 얻게 되는 것이다. 내 생각으로는 우리나라의 많은 훌륭한 작가들이 붓을 쉬거나 재탕 같은 작품을 쓰는 이유들 중에는 이런 점도 한구석에 끼어 있으리라는 것이다.

얘기가 난 김에 부분적이고 개인적인 욕심이지만 털어놓자.

적지 않은 비평가들이 어쩌면 그렇게도 어슷비슷한가! 작품을 향해 구체적인 접근을 하지 않기 때문이 아닐까? 구체적 접근이라는 면에서 가령 최인훈 선생 식의 비평이 비평 전문가들의 무시무시한 설교조의 글보다 기분 좋다. 문제에 관해 구체적으로 얘기하는 이에게서만 우리는 그 개인의 냄새를 맡을 수 있는 게 아닐까. 대전제들은 그만 하면 알겠으니 본론으로 들어가줬으면 싶다.

또 자기만의 욕심 때문에 자신의 눈을 흐리게 하지 말아주기를 바란다. 가령 4·19를 예언한 작품이 어디 있었던가 하고 곧잘 작가들의 현실감각을 의심하는 비평가들도 있는 모양인데 4·19 이전에 쓰인 많은 선배 작가의 작품들이 묵시하는 것은 그렇다면 무엇이 될까. 그 작가들 자신들은 비록 의식하지 못했더라도 그 작가들에게조차도 의식할 수 있도록 그 작품들을 완성해주는 것이야말로 비평가의 소임이 아닐까.

아직 견문이 넓지 못한 탓인지 또는 나의 과잉 해석인지 몰라도, 가령 오영수 선생의 「여우」에서 전후에 밀려올, 또는 우리나라의 현실 구조에서 언젠가는 닥쳐오고 말 상업주의의 팽배를 건져내지 못한 비평가들이 현실이니 역사니 하는 말씀은 더 잘 토한다.

몇 달 전에 발표된 오유권 선생의 「두 노부老父」에서도 인간을 따뜻한 마음으로 사랑하는 비평가라면 얼마든지 그 작품의 의미를 완성할 수 있을 텐데도 소 잡는 칼만 들었지 생선 저미는 칼을 가지기를 겸연쩍게 생각하는 탓인지 '오 선생이 쓰는 것은 뭐든지 생선이니까' 하는 정도로 넘겨버리는 게 비평가들이었다.

"아쭈, 대선배들을 예로 들어 자기 작품을 변명하려고"하지는 마시기 바란다.

아무리 취중이라지만 자기 분수는 안다.

말하고 싶은 것은, 요컨대 비평가들이 곧잘 작가들에게 들려준 말을 되돌려주고 싶다는 것이다.

"고민하고, 고독하고, 그래서 좀 재미있게 써라."

그것은 울음이다

이 시집들에 모인 지하의 시들은 나에게 두 개의 격렬한 감정을 던져주었다. 하나는 당황감이고 하나는 공포감이다.

나의 이 당황감에 관해서는 그럭저럭 설명할 수 있을 것 같다. 그것은 아마 이럴 것이다. 즉, 내게 익숙한 시라는 게 대부분 어떤 유형의 체계적인 시론에 의해 쓰였거나, 겉보기에는 누구에게나 공통되는 것으로 돼 있는 일상적인 사물에 대한 관조에 의해 쓰였거나, 누구에게나 다소 친숙한 사상에 의해 쓰인 데 비해 지하의 시들은 그런 것들과 멀어 보인다는 점, 한마디로 '낯설다'는 점에 나의 당황감은 연유한다.

그러나, 다만 낯설다는 점 때문에 당황한다는 것은 얼마나 부끄러운 노릇이랴. 시의 배경에 이론이 있어야 하고 시의 대상이 일상적 사물이어야만 하고 시가 사상의 전달 수단이어야 한다고만 생각하는 버릇은 더욱 부끄러운 것이다.

그렇다. 그런 점을 부끄러워한다면 나는 당황하지 말고 이 시인의 발견·영탄·호소에 귀를 기울여야 할 것이다.

그런데 나는 나의 내부로 파고드는 공포감에 대해서는 뭐라 분명하게 설명할 수가 없다. 다만 얘기할 수 있는 것은, 이 시들을 읽는 동안 내 눈앞에 고향의 풍경들이 어른거렸고 그 풍경들이 새로운 의미로 어른거렸다는 것이다.

아무 데로나 고개를 돌려도 눈을 쏘아오던 황토가 단순히 붉은 흙이 아니라 원한 많고 눈물 많던 선조들의 피와 살과 뼈의 더미라는 것, 그 피와 살과 뼈의 더미 위를 오늘도, 그들 선조의 것만큼이나 큰 원한과 눈물을 안은 처녀가 터벅터벅 걸어간다는 것, 남도의 뜨거운 태양, 질기고 뻣센 쑥, 탱자나무 가시, 삐비꽃 들이 더는 자연의 현상이 아니고 불행한 역사 속에서 죽은 이들의 고통의 신음과 슬픔의 통곡의 형상이라는 것, 그리하여 태양이 불타고 쑥이 뻗어가고 삐비꽃들이 패는 동안은 우리는 그 신음과 통곡으로부터 달아날 수 없다는 것, 아니 단순한 자연의 현상들이 신음처럼 통곡처럼 보일 수밖에 없는 살아 있는 신음과 통곡이 아직도 있다는 것……

남의 울음소리를 들으면 아무 이유 없이도 소름이 끼친다. 나의 공포감도 단순히 지하의 시가 울음 같기 때문만일까? 그것만은 아닐 것이다.

김지하 시집 『황토』 발문

나의 첫 창작

"서울에 가본 사람 있냐?"

아무도 아직 서울에 못 가봤단다.

"서울에 가면 굉장히 높은 탑이 있어. 그 탑은 이 세상에서 제일 높아서 하늘에 닿아 있어. 그 탑 꼭대기에는 작은 방이 있는데 남자와 여자가 발가벗고 꼭 껴안고 있어. 밥도 안 먹고 밤에나 낮에나 항상 껴안고 있어. 사람들이 많이 가서 구경해. 나도 구경했어."

이것은 내가 내 최초의 창작을 기억해내 보라는 잡지사의 지시를 받고 문득 기억해낸 얘기다.

아마 내가 만으로 여섯 살 때쯤이었다. 당시 나는 순천에 살았는데 우리 집 근처에 빈집이 있었다. 내 또래 애들이 그 집에 모여서 놀곤 했는데 바로 그 집의 어두컴컴한 방에서 내 첫 창작품이 발표되었다.

가보지 않은 서울에 가봤다고 거짓말하면서 슬그머니 가슴이 두근거리던 기억도 난다. 아마 나는 서울이란 이상한 일이 얼마든지 있는 곳이라는 믿음을 가지고 있었던 것 같다. 그 후로도 내가 친구들에게 이상한 일을 얘기할 때는 "이것은 서울에서 일어난 얘기다"고 했으니까.

　그런데 왜 하필 내 첫 창작품은 그런 얘기였을까? 서울, 높은 탑, 탑 꼭대기의 작은 방, 사람들이 구경해도 껴안은 채 떨어질 줄 모르는 발가벗은 남녀……. 아마 정신분석의한테 분석을 받아보면 뭔가 그럴듯한 얘기를 들을 수도 있으리라.

　그 무렵을 돌이켜보며 지금 나 스스로 그 창작의 동기를 분석해보면 그것은 아마 내 외사촌 형과 그의 친구들 영향 때문이 아닌가 싶다. 당시 내 외사촌 형은 국민학교 4학년이었는데 그의 친구들과 모여서 얘기하며 노는 자리에 나는 곧잘 끼어 앉아서 그들의 얘기를 듣곤 했다. 그들의 얘기는 거의 항상 같은 학년의 여자애들 얘기이거나 지금 생각하면 괴상한 음담패설이거나였다. 그때 들은 그 얘기를 지금까지도 내가 기억하는 것을 보면 그 얘기의 충격이 내게는 몹시 컸던 모양이다.

　말하자면 내 첫 창작은 형들의 얘기를 모방한 것이 아니었을까?

실제로 예술 창작 역시 처음에는 남의 작품을 모방하는 데서 시작한다는 것을 고려하면 어린이들의 상상력 계발에 어른들의 역할이 이만저만 크지 않은 것 같다.

받을 줄도 모른다

벌써 10년도 넘은 얘기지만 나는 대학을 마치고 취직이란 것을 여섯 달쯤 해본 후, 소설가 노릇을 제대로 하려면 배가 좀 고프더라도 직장을 따로 갖지 말고, 아직 총각일 때 공부도 더 하고 글 쓰는 일에만 온 힘을 다 바쳐야 하겠다고 결심하고 내 자취방에 틀어박혀 있었다. 그때 내가 대학입시 공부를 하는 재수생인 막냇동생과 함께 자취하던 셋방은 말단 공무원으로 가난하게 생활하는 집주인이 살림에 보탬이 될까 하고 좁은 마당 한 귀퉁이에 시멘트 벽돌 한 겹으로 얇게 지어 세 내놓은, 세 사람만 들어가도 꽉 차버리는, 겨울이면 방 안의 잉크가 꽁꽁 얼어버려 쓸 수 없는 가난한 방이었다.

그런 방으로 어느 날 손님이 한 분 찾아왔다. 내 소설을 읽고 감동했는데 내가 자기의 대학 후배임을 알게 되었고, 무척 가난한 생활을 한다는 소문을 들었으므로 자기 힘으로 좀 도와줄 것이 없을까 하여 찾아왔다는 것이다. 얘기를 들어보니 요컨대 매달 얼마씩 생활비를 도와줄 테니 좋은 소설 열심히 많이 쓰라는 것이었고 자기가 나에게 그런 도움을 주고 싶은 것은 자신도 한때는 좋은 소설가가 되고 싶었으나 아버지 사업을 돕다 보니 문학과는 거리가 멀어져버렸고 엉뚱하게도 회사 부사장으로서 돈만 많고 겉만 번지르르한 부르주아가 돼버린 아쉬움 때문이라는 것이었다.

말하자면 그는 대학 후배인 나를 통해 자신의 잃어버린 꿈을 실현해보고 싶은 것이었다. 그는 대단히 겸손하고 그 이상의 나쁜 계산이 없음이 분명한 진심의 표정으로 말했지만 나는 고마운 생각보다 불쾌하고 울화가 먼저 치밀었다.

"고맙습니다. 제가 도움을 받아야 할 일이 생기면 찾아뵙겠습니다만 매달 생활비라는 것은 그만두십시오."

입으로는 고마운 체 말했으나 속으로는 '너 같은 놈이 바로 진짜 속물 부르주아다. 남의 작은 집념까지도 화분 사듯 돈으로 사들여 부려먹고 구경하며 즐기려는……' 내가 밤잠도 제대로 안 자며 하는 일이란 게 결국 속물들의 심심풀이에 지나지 않는 것이라고 지적당한 듯 모욕감을 느끼며 동시에 내가 하는 일에 갑자기 회의와 환멸이 엄습했다. 나는 그 선배뿐만 아니라 세상의 부자라는 사람들은 모조리 미워졌다. 그 후로도 그 선배는 자주 찾아왔으나 나는 없다고 문간에서 따돌려버리거나 만나더라도 문학에 관해 뭔가 진지한 토론을 나누고 싶어 하는 그에게 시큰둥한 얼굴로 대해버리곤 했다.

그러던 어느 날 그는 "앞으로는 찾아오지 않겠다"고 말하고 나서 "너는 아직 사회생활을 잘 몰라. 너는 남에게 줄 줄을 모르는 놈이지만 받을 줄도 모르는 놈이다. 아마 네가 아버지도 없이 할머니나 어머니 등 여자들 틈에서 귀염만 받고 자란 이기적인 놈인 탓이겠지. 그래 나도 이번에 좋은 경험 했다. 아무리 선의에서라도 남에게 무엇을 줄 때는 먼저 상대방이 어떻게 받아들일 것인가부터 생각해야 한다는 것을 깨닫게 되었다. 하지만 너도 받을 줄 아는 방법을 배워야 할 것이다. 이제 사회인으로서 첫걸음을 시작했으니 '준다'는 것과 '받는다'는 문제에 수없이 부딪히겠지. 저절로 터득하게 될 테니 더는 말 안 하겠다. 다만 이것만은 알아둬라. 돈이 많은 사람이라고 해서 다 똑같은 속물은 아니다. 자기 향락에만 돈을 쓰는 속물도 있지만 조금쯤 뜻있는 일에 돈을 쓰고 싶은 속물도 있다는 것을. 그리고 네가 진실로 두려워하고 미워해야 할 속물은 따로 있다는 것을."

그가 마지막이라며 하는 말을 듣고 나서야 나는 그가 진심으로 평등한 입장에서 다만, 마치 대서소 서기인 아버지가 자기 아들은 판사가 되기를 바라듯 그런 마음으로 나에게 도움을 주고 싶어 했음을 확인하고 그동안 경멸하는 태도로 대한 것에 몹시 미안함을 느꼈으나 부자의 도움을 받음으로써 부자들의 잘못을 눈감아버려야 하는, 소설가로서 사는 자유를 박탈당해야 할 상황이 생길까 봐 스스로 경계하고 싶은 생각을 양보하고 싶지는 않았다.

소설가란 스스로 '이것이 문제다'고 생각하는 것에 봉사해야지 어느 무엇에도 구속당해서는 안 된다. 권력자나 부자의 눈치를 살펴서도 안 되고 동시에 힘없고 가난한 사람의 비위만 맞춰서도 안 된다. 모든 것으로부터 자유로워야 하며 다만 자기 가치에 비춰 문제가 되는 것에 자신을 바쳐야 한다.

나는 그렇게 생각했고 그 생각은 지금도 큰 변화가 없으나 그 선배의 마지막 충고 속에 항상 내 가슴에 궁금하게 걸려 있는 말이 있었다. "네가 진심으로 두려워해야 하고 미워해야 할 속물은 따로 있다"고 한 마지막 말이었다.

　그 선배의 예언대로 나는 그 후 '준다' '받는다'는 문제에 수없이 부딪혔다. 아니, 혼자 사는 것이 아니고 수많은 사람과 어울려 산다는 것은, 즉 사회생활을 한다는 것은 결국 서로 뭔가를 주고받으며 사는 것임을 깨닫지 않을 수 없었다. 학생인 동안에는 학교에 수업료를 주고 지식을 받는다는 단순한 거래로 충분했으나 가정을 갖게 되고 많은 사람과 여러 일을 하다 보면 주고받는 것도 참으로 가지가지가 된다. 돈이기도 하고 능력이기도 하고 연정이기도 하고 우정이기도 하고 즐거움이기도 하고 슬픔이기도 하고…….

　그 모든 주고받음의 목적은, 저 사람한테 없는 것을 내가 주고 나에게 없는 것을 저 사람한테 받음으로써 서로가 안전과 평등을 확보하며 동시에 저마다의 꿈을 실현해 인간의 인간다운 목표 지점으로 모두 함께 움직여 나가기 위함이라는 것도 깨닫게 된다. 그러므로 남에게 주는 데 인색하고 남에게서 받는 데 허심탄회한 고마움을 느끼지 못할 때 인간사회는 안전도 평등도 없으며 진보로의 움직임도 멎어 제자리걸음만 하게 되는 것임을 깨닫게 된다.

　나를 도와주겠다고 자청하던 그 선배의 태도를 십수 년

이 지난 오늘에야 나는 비로소 부자의 고까운 취미가 아니라 지각 있는 사회인의 지혜라고 이해할 수 있게 되었다. 더구나 그 후 때때로 스스로 '문제'라고 생각하는 것을 뒤로 미루고 나 자신은 별로 '문제'라고 느끼지도 못한 채 다만 돈 때문에, 그리고 '이것이 대중의 문제다'고 남들이 주장하는 바람에 일하는 자신을 발견할 때, 그 선배가 말하던 '더 두렵고 더 미운 속물'이야말로 저 정체 없는 대중이고 동시에 그들이 돈을 주니까 그 대중에 봉사하는 나 자신임을 깨닫게 되어 소름이 끼치곤 한다.

2부

신춘문예에의 길

　지금도 크게 달라진 것은 없지만 내가 한국일보 신춘문예에 단편소설이 당선되던 1962년 무렵에는 시인·소설가·문학평론가 등을 지망하는 사람들이 이른바 문단에 등장하는 길은 세 가지밖에 없었다. 첫째,《현대문학》지의 추천제를 거치거나 둘째,《사상계》《자유문학》지의 신인문학상에 당선되거나 셋째, 서울에서 발행하는 일간지들의 신춘문예 모집에 당선되거나였다. 그중에서도 가장 권위 있는 것은《현대문학》지의 추천제였다.

　문학 전문지가 아닌《사상계》나 적은 발행 부수로 근근이 명맥만 유지해가는 초라한《자유문학》지나 당선만 시킬 뿐 그 후의 계속된 작품 활동에 대해서는 아무런 보장 수단을 갖지 않은 신춘문예에 비했을 때 착실한 편집과 비교적 오랜 역사와 발행 부수가 많은《현대문학》지야말로 한국 문단 그 자체였다. 그런데 이놈의 한국 문단이 몹시도 배타적이어서 자기네 추천제를 거치지 않으면 작품을 발표할 지면을 쉽사리 내주지 않았으므로 문인 지망생들은 자연히 《현대문학》지의 추천제를 거치는 것이 문단 등장의 정도正道인 양 생각한다.

나 역시 한 번은 《현대문학》지의 추천제에 응해볼 생각을 했으나 어쩐지 추천제 자체에서 비밀의 음침한 곰팡내가 나는 것 같아 싫은 느낌이었고 또 악착같이 소설가가 되겠다는 집념은 없었으므로 내 재능이나 한번 테스트해본다는 가벼운 기분으로 공개 경쟁 입찰 같은 신춘문예에 응모하기로 작정했다. 신춘문예에 응모하는 사람들 대부분이 아마 나와 같은 기분으로 다른 길을 두고 신춘문예의 길을 택하리라고 생각한다. 즉, 공신력 있는 기관에 의한 경쟁 시험에 합격하는 떳떳함을 느끼고 싶기 때문이다. 적잖은 액수의 상금을 탈 수 있다면 금상첨화다.

그리고 이제는 과거에 비할 수 없이 작품 활동의 무대가 많아졌고 그것들이 비교적 개방적이어서 문단 등장 수단으로서 신춘문예의 권위가 가령 과거 《현대문학》 추천제를 능가하므로 신춘문예 응모자들 사이의 치열한 경쟁의 정도는 입이 벌어질 정도가 되었다.

그러나 응모하는 사람들은 신춘문예에도 큰 결함이 있

음을 염두에 두어야 할 것이다. 그 결함은 '경쟁'인데 경쟁이 될 수 없는 문학을, 더구나 단 한 편의 작품으로 경쟁시킨다는 제도 자체이기도 하지만 그보다도 더 큰 결함은 응모자가 응모작을 준비할 때 의식하는 '경쟁'이다.

경쟁의식 때문에 불안해지고 그 불안 때문에 과거 당선작들을 모방하게 되고 그런 결과로 자기 재능이나 자기가 추구하는 세계를 충분히 나타내지 못하고 그리하여 기성작가와 다른 '신인'을 찾으려는 심사 기준 때문에 불합격품이 되고 만다. 그 결함은 자칫 빠지기 쉬운 함정이기도 한 것이다. 자기가 쓰고 싶은 것, 자기만이 쓸 수 있는 것을 써서 던지고 만일 낙선했을 때도 자기가 잘못한 게 아니라 심사위원이 잘못했다고 생각할 수 있는 배짱으로 신춘문예에 임해야 할 것이다. 당선 가능성은 그런 태도의 사람에게 더 많은 것 같다.

신춘문예에 당선되려면

1

일간지들의 신춘문예라는 문단 진출 제도는 작가 지망 문학청년들에게는 확실히 매력 있는 제도다. 이른바 권위 있는 문학잡지에서 대개 추천위원에 의한 추천제나 신인 작품 모집 제도가 조용조용히 진행되는 데 비해 신춘문예 는, 물론 당선되었을 때의 얘기지만, 우선 대한민국 3500 만 국민 앞에서 떠들썩하게 공개적으로 인정받는 듯한 착 각을 느낄 수 있어서 좋다. 그리고 수많은 경쟁자를 물리 쳤다는 동물적인 쾌감, 적지 않은 액수의 상금, 1년이 시 작되는 정월 초하룻날 신문에 자기 사진과 글이 실렸다 는 자랑, 그리고 무엇보다도 이제까지는 독자로서 쳐다보 기만 하던 신춘문예 출신의 선배 작가들과 어깨를 견주게 된다는 자부심이 창백한 문학청년들이 신춘문예를 동경 하는 이유다.

작가 지망생이라면, 배우 지망생에 비하면 덜하겠지만, 다른 분야를 지망하는 사람에 비해 일단 자기 노출증에 걸린 사람들이다. 특히 신춘문예 당선을 목표로 몰려드는 사람들은 노출 증세가 퍽 중증이라고 봐야 한다. 투고만 해놓고 당선자 발표는 아직 멀었다는데도 당선 소감을 써두고 사진을 찍어두는 지경이 되면 글쎄, 치유하기 어려운 상태가 아닐까.

아니, 홍보자는 것이 아니다. 그런 격렬한 욕망이 없이는 신춘문예 모집 광고를 본 날부터 내일 내일 미루다가 마감 날짜까지 투고 작품을 한 줄도 못 쓰고 '내년 신춘문예에나……' 하게 돼버린다는 얘기다.

신춘문예에 당선되려면, 아니 작가가 되려면 무엇보다도 먼저 자기 노출증을 심하게 앓아야 한다. 원고지를 앞에 놓고 펜을 든 채 입을 벌리고 당선된 자기 모습을 공상하느라고 황홀경을 헤매다가 정작 작품은 한 줄도 못 쓰고 말 지경이면 곤란하지만, 당선에 대한 확신을 잃어버리면 세상에 응모 작품을 쓰고 앉아 있는 자신의 몰골보다 허황하고 한심스러운 꼴은 없어 보이는 법이다. 자신이 하는 짓이 갑자기 무의미해 보일 때는 당선된 자신의 모습을 상상하며 펜에 힘을 줄 수밖에 없다.

2

신춘문예에 당선되어 지금 한창 작가로 활약하는 사람들은 대강만 훑어보아도 짐작하겠지만, 가령 문학잡지의 추천제도로 작가 활동을 시작한 사람들에 비해 신춘문예 당선 작가들은 퍽 영악스럽다.

추천을 받고 작가가 된 사람들은 대가의 지도를 받으며 그 지루한 기간을 참고 기다리며 습작하는 동안 어느덧 대가의 몸가짐을 흉내 내게 되어 의젓한 선비 꼴이 몸에 배는 대신 문학적 재능은 한쪽으로만 탄탄하게 굳어져 버린다. 좋게 말하면 자기 세계를 단단하게 다졌고 앞으로 별다른 굴곡 없이 꾸준히 작품 활동을 해나갈 것이다. 나쁘게 말하자면 좀 미련하다. 대가님들의 추천사도 대체로 그 요지는 이만하면 네 미련도 한세상 버티고 살아갈 만하니 추천한다는 것이다.

그에 비하면 신춘문예 제도 자체가 여간 영악스럽지 않고는 대들어볼 엄두도 못 낼 그런 것이다. 수백 명의 응모자 중에서 당선자는 하나, 그나마도 걸핏하면 '당선작 없음' 해버리는 치열한 경쟁 제도다. 작품을 여간 치밀하게 준비하지 않고는 예선권 안에도 들 수 없다.

어느 신문사의 신춘문예에 응모할까? 과거의 경험으로 보아 신문사마다 단골 심사위원이 있어서 그 심사위원들의 안목과 취향에 따라 골라진 당선작들은 전통적으로 어딘지 비슷한 냄새를 풍긴다. A신문사에 응모하려면 다소 형이상학적인 작품을 준비해야 하고 B신문사의 그동안 취향을 보면 현실참여적인 작품이라는 식이다. 따라서 과거 당선작들을 자세히 검토 비교하고 심사위원들의 취향을 정확히 가늠해야 한다.

물론 해마다 심사평이라는 것을 보면 '기성작가들의 모양이 아닌 신인다운 새로운 작품'을 부르짖지만 영악한 응모자라면 그런 빈말에 속지 않는다. "자, 이제 신인다운 새로운 작품이오" 하고 로브그리예 같은 작품을 투고해봤자 그런 작품에 대한 심사평은 으레 "단 한 편의 실험적인 단편소설로는 그 작가의 역량을 알 수 없으므로" 보나마나 낙선이다. 결국 심사위원들의 안목과 취향의 반경 내에서 눈치껏 '이만하면 과거에 못 본 새로운 신인'이라는 칭찬을 받아내야 하는 것이다.

또 있다.

늙은 너구리 같은 심사위원님들은 원고지 글씨만 보고도 이 사람이 글을 제법 써본 사람인가 아닌가 판단한다는 것을 영악한 응모자라면 안다. 글씨체, 맞춤법, 그리고 원고 용지 선택까지 신경 쓴다. 많은 작품을 읽어대야 할 심사위원님들 눈의 피로를 덜어드리는 아첨도 해야 한다.

누르스름한 갱지보다는 세탁해놓은 듯 하얀 모조지에다 검은 잉크로 써 바치는 것이 정성도 있어 보이고 읽기에도 편하다는 것쯤은 알고 있다.

원고 제출도 될 수 있으면 마감이 임박하여 한다. 먼저 도착한 원고가 원고 더미의 밑으로 깔리는 것은 정한 이치이고 늦게 도착해 위에 놓인 원고부터 심사위원들이 읽어나갈 게 분명하다. 그리고 심사위원들이 아직 신선한 긴장감을 갖고 있을 때 눈에 띄어야지 원고 읽기에 지칠 대로 지쳐 원고의 처음 한두 장 읽다가 '시작하는 것을 보니 이것도 보나마나야' 내던져버리면 어디 가서 누구를 붙들고 하소연하나. 이런저런 눈치 다 봐도 1월 1일 자 신문에서 자기 이름을 찾아볼 수 없는 게 신춘문예 응모자 신세이니 그 난장판에서 당선된 녀석이 얼마나 영광스러운 놈일지는 짐작하고도 남음이 있을 것이다. 말하자면 동서고금, 된 작품 안 된 작품 골고루 눈치 본 영악한 놈이 되지 않고서는 안 된다는 얘기다.

나 역시 신춘문예 당선으로 개업했지만 반드시 장점만 내세워 권하고 싶은 문단 진출 제도는 아니다.

자기 자신을 믿고 꾸준히 습작해온 사람들이 잡스러운 계산 하지 않고 작품 활동을 할 수 있는 제도가 하루빨리 정착되어야 할 것이다. 가령 유럽과 미국에서처럼 출판사

에서 단행본을 발간함으로써 작가로서의 역량을 독자들
에게 묻는 제도 같은 것이 일반화된다면 어떨까?

굳은 손을 푸는 워밍업

문＿ 10년 동안 침묵한 이유를 직접 변호한다면?

답＿ 소설을 쓰지 못하는 동안 많은 친구한테서 "왜 소설을 안 쓰느냐"고 구박도 많이 받고 경멸도 많이 받았다. 그들은 나를 마치 근육이 풀린 권투 선수 취급을 했다. 소설을 안 쓰고 또 못 쓴 이유는 한두 마디로 얘기할 수 있는 것은 아니지만 실제로 나는 항상 소설을 쓰는 듯한 착각 속에 살았다. 친구들이, 소설을 안 쓴다는 것은 문제를 외면하는 안이한 구멍 속에 웅크리는 것이고, 소설을 쓴다는 것은 무엇보다도 먼저 자신의 모든 것에 대한 검토, 대결에서 시작되는 성실한 행동이라는 뜻에서 링 위에 오르지 않는다고 나를 쥐어박은 것이라면 내 딴에는 항상 소설을 썼다고 감히 말하고 싶었다. 그러나 '소설을 쓴다'는 것은 역시 종이 위에 쓰는 것임을 이번 작품을 쓰면서 새삼스럽게 확인했다. 머릿속에서만 쓰는 소설이란 자신의 언어와 타인의 언어가 뒤범벅된 사기극이고 역시 펜에 의해서만 그것들이 분리된다는 뜻에서뿐만 아니라 쓰는 것 자체가 이제까지 부딪쳐보지 못한, 그러나 한 번쯤은 반드시 맞닥뜨려야 할 문제들과 만나는 길인 것이다. 쓴다는 길을 통해서만 만날 수 있는 문제들이 있다고 생각했기 때문에 쓰는 것이 아니라 쓰기 때문에 생각나는 것들이다. 그것은 누구보다도 쓰는 사람 자신을 풍요하게 한다. 이런 뻔한 얘기를 독학한 문학청년처럼 새삼스럽게 자신에게 다짐해야 할 만큼 그동안 나는 소설과 멀리 떨어져 있었다는 것을 확인하며 그동안 나를 구박한 친구들에게 고개 숙인다. 그러나 팔푼이 군소리하듯 덧붙인다면 "소설 못 쓰는 소설가가 느끼는 고독의 경험이 너희들에게는 없겠지, 용용."

  문＿ 이 작품에 관해 얘기하고 싶은 것은?
  답＿ 작품의 모티브는 한 친구의 실화에서 얻었다. 이번에 나가는 장과 다음에 나갈 제1장에서 소재의 꽤 많은 부분이 실화에 충실한 것이다. 물론 실화 자체가 아무리 재미있고 뜻이 있더라도 그것이 소설 속에서는 주제와 리얼리티를 살리는 방향으로 변용되어야만 한다는 것을 잘 알면서도 위험을 무릅쓰기로 했다. 이 작품의 소재는 매우 아슬아슬하다. 지나치게 변용했을 때는 소재가 함유하는 생동감이 작가의 상투적인 윤리 기준 때문에 부패해 악취를 내기 쉽고, 또 실화 자체에만 충실했을 때는 오히려 보편성 없는 공허한 엽기 취향의 시정잡담이 돼버리기 십상이다. 모처럼 소설을 써 발표하면서 더 '문학적'인 소재를 꺼내지 않고 이런 성공하기 힘든, 그리고 성공해봤자 별 수 없는 소재를 선택한 것은 그동안 더욱 둔화한 필력을 가다듬어보는 데는 적절한 소재였기 때문이다. 말하자면 이 작품은 나 자신을 위해 쓴 것이라고 할 수 있다. 그렇다. 이 작품은 일종의 위밍업으로서 순전히 나 자신의 굳은 손을 풀어보기 위해 쓴 것이다.

내가 소설을 써 발표하지 않은 이유를 '명작 의식에 사로잡혀 있기 때문'이라고 말하는 친구들을 자주 만났다. 물론 어느 작가가 명작을 쓰고 싶지 않으랴. 그러나 명작 의식이란 자기가 쓰고 싶고, 쓸 수 있다고 생각하는 범위 안에서 최선을 얻어내고 싶다는 욕망 이상은 아니다. 오히려 친구들의 그런 핀잔이 이제는 나의 강박관념이 되어 내 손이 당장에는 미처 따라잡을 것 같지 않아 보이는 착상이 머리에 떠오르면 뒤로 미뤄놓아버리곤 하는 악습을 갖게 되었다. 이 작품도 그런 강박관념 때문에, 씀으로써

빨리 나로부터 내팽개쳐버리고 싶은, 나로서는 최소한의 완성 미만을 기대하며, 어쩌면 내 잃어버린 소설을 찾아가는 길잡이로서의 소설이 되어주기를 바라며 썼다.

「서울의 달빛 0장」을 쓰고 나서 '작가의 말'

《산문시대》 이야기

머리말

대학신문에서 《산문시대》 이야기를 써보지 않겠느냐고 했을 때 나는 좀 망설였다.

망설인 이유 중 하나는 만일 대학신문이 요즘 일간지들에 유행하는 비화 부류의 글을 대학신문에도 하나쯤 싣고 싶다는 뜻에서라면 《산문시대》 이야기가 아니라도 서울대학교 자체의 과거 속에서 얼마든지 재미있고 유익한 얘기를 끌어낼 수 있으리라는, 사양하는 마음 때문이었다.

이유 중 또 하나는 이런 종류의 글이란 쓰는 사람의 일방적인 시점에 철저히 의존하므로 지금의 입장 때문에 과거의 사실이 잘못 구성되기 쉽고 특히 글 속에 나오는 사람에게 엉뚱한 피해를 주기 쉽다는 두려움 때문이었다.

그리고 또 하나의 이유는―이것이 가장 큰 이유일 수 있겠다. 《산문시대》가 결과적으로 거기에 참가한 우리 몇 사람을 제외한 다른 사람에게 무슨 뜻을 가질 수 있는지 알 수 없기 때문이었다.

물론《산문시대》가 한국 문단의 한구석에서 그리고 일부 문과대 학생들 사이에서 상당히 과장된 모습으로 건설화해 있다는 것은 나도 안다.

그렇게 된 까닭도 내 나름으로는 짐작한다. 즉,《산문시대》자체의 문학사적 공과 때문이 아니라 문인을 많이 배출하지 않는 서울대학교에서 이례적으로 같은 학년 출신의 작가 김성일·박태순·이청준 그리고 나와 평론가 김주연·김치수·김현·염무웅을 거의 동시에 많이 내보냈다는 사실이 흥미의 대상이 되었고 그 결과 그들이 직접으로든 간접으로든 관계한《산문시대》가 화제의 거품 위로 떠올랐다는 것이다. 따라서 그 정도의 뜻―같은 학생 출신의 대거 문단 진출 배경을 밝힌다는 뜻―정도라면 구태여 잡다한 회상으로 쓰일 게 틀림없는《산문시대》이야기가 아니더라도 얼마든지 그럴 수 있으리라고 생각하기 때문이다.

그런데도 지금 이 글을 쓰기 시작한 이유는 대학신문이 제시하는 다음과 같은 목적에 나 역시 충분히 동의할 수 있었기 때문이다.

첫째, 과거 서울대학교의 학생 사회의 변화를 보면 크

게 몇 가지로 구분할 수가 있다. 그중 하나가 4·19 이후 수년 동안의 학생 사회라고 말할 수 있다.《산문시대》이 야기 속에 단편적이나마 그 앞과도 그 뒤와도 구별되는 그때의 학생 사회 분위기나 특징이 표현될 수 있다.

둘째, 여러 가지 이유로 대학생들의 교외 그룹 활동이 제한되는 현시점에서, 하나의 그룹 활동이었다고 할 수 있는《산문시대》의 경험은 학생들에게 다소나마 참고가 될 수 있다.

《산문시대》란?

《산문시대》란 지금으로부터 11년 전인 1962년 6월에 김현, 최하림과 내가 창간호를  냈고, 1964년 9월까지 3년에 걸쳐 5호를 내고 없어진 문학 동인지의 이름이다.

세 사람으로 시작했으나 동 인의 수는 차츰 늘어나 5호 때 동인 명단을 보면 강호무·곽 광수·김산숙·김성일·김승

옥·김치수·김현·서정인·염무웅·최하림 이상 10명이
되었다. 당시 강호무와 최하림을 제외한 나머지 8명은 모
두 서울대학교 학생이었다. 지금 소설가이며 전북대학교
에서 영문학을 가르치는 서정인은 당시 대학원 영문과,
최근 프랑스에서 문학박사 학위를 받고 돌아온 곽광수는
당시 문리대 불문과, 지금 서울신문사에서 일하는 김산숙
은 당시 국문과, 지금 소설가이며 보르네오통상에서 일하
는 김성일은 공대 기계과, 지금 평론을 쓰며 부산대학교
에서 가르치는 김치수는 불문과, 역시 평론을 쓰며 서울
대학교에서 가르치는 김현도 불문과, 평론을 쓰며 덕성여
대에서 가르치는 염무웅은 독문과, 나는 불문과의 학생이
었다.

《산문시대》가 좀 더 계속되었더라면 동인의 수도 더 늘
었을 것이다. 《산문시대》 자체의 성격이 창간 당시의 순수
한 동인지로서 폐쇄적이던 성격으로부터 하나의 꿈을 가
지기 시작하면서부터는 문학잡지적인 개방성을 띠기 시
작했기 때문이다.

그 꿈이란 《산문시대》가 단순히 우리 몇 사람만의 발표
욕을 만족하기 위한 도구가 아니라 '대학생 문단'을 형성
하는 핵이 됐으면 하는 것이었다. 우선 서울대학교 재학
생 중심의 문학지일 것, 그리하여 '서울대생 문단'을 형성

할 것, 나아가 전국의 '대학생 문단'을 형성하는 유도체가 될 것. 그리하여 기성 문학과 구별되는 독특한 대학생 문학이 있도록 할 것 등을 기대했다. 우리가 졸업하고 나면 후배들에게 《산문시대》를 물려주고 그 후배들이 《산문시대》를 좀 더 키워서 다음 후배들에게 물려주고.

엄밀한 뜻에서 문학에 프로 문학과 아마추어 문학이 있을 수 없지만 김동리·조연현 등 몇 분의 꽤 상투적인 안목으로 문인이 제조되던 당시로써는 우리 자신들이 쓰는 글을 아마추어 문학이라고 자칭함으로써 우리 자신들의 가능성을 보존하고 싶었고 그 보호하고 싶은 욕망과 학생이라는 어떤 의미에서 부자유스러운 신분이 결합해 '대학생 문학'이라는 좀 엉뚱한 꿈을 갖게 되었다.

바로 그러한 꿈에 의해 우리는 기성 문학이 제시하는 어떤 틀로부터 해방되기도 했는데 결과적으로 해방 그 자체 외에는 별다른 뜻을 갖지 못했는지는 모르나 나의 중편 「환상수첩」은 대학생 문학을 내 나름으로 의식해 썼고, 김현이 한국 문학사를 자기 나름으로 써보려고 했던 것이나 염무웅이 '현대성'의 정체를 밝혀보겠다고 덤벼든 것이나가 역시 대학생 문학을 설정했을 때 얻는 일종의 패기에 의해서였다고 할 수 있다. 자, 이제부터 그 패기만만하던 시절의 잡담을 늘어놓기로 하자.

신입생

1960년 나는 전남 순천고등학교를 졸업하고 서울대학교 문리대 불문과에 입학했다. 대학 생활과 서울 생활이라는 두 가지 낯선 생활이 한꺼번에 시작된 것이다. '낯설다'는 말은 그리 단순한 뜻이 아니었다.

우선 서울 생활로 말하자면 그것은 의식주 같은 기본적인 것까지도 이제부터는 나 혼자 힘으로 해결해야 한다는 것이었다. 이제까지는 한 가족의 일원으로 어머니의 보호를 받는 아들로서 의식주 문제 따위는 내 알 바 아니었으나 이제부터는 내 손으로 벌어서 세끼 밥을 먹어야 하고 잠자리를 구해야 하고 옷 걱정을 해야 하고 등록금을 마련해야 하고 책을 사봐야 했다. 거의 미국 원조에 의지했고 그나마도 극도에 달한 부정부패에 의하여 부가 소수인에게 편재해 있던 자유당 정권 말기인 당시 우리네 살림살이란 몹시도 초라했고 그중에서도 시골 살림이란 더욱 성했고 그중에서도 28세에 과부가 되어 혼자 힘으로 시어머니와 세 아들을 돌봐낸 내 어머니의 살림이란 말할 필요도 없었으므로 나는 입학시험을 치르러 서울로 올 때부터 이미 아르바이트를 하며 대학에 다니기로 했다.

나와 같은 사정이 아니더라도, 즉 학비와 생활비를 도

와줄 수 있는 부모가 있더라도 대학생이라면 아르바이트를 하며 학교에 다녀야 한다는 것이 대학생 사회에서는 상식이기도 했다.

아르바이트라면 물론 대개 가정교사 노릇을 일컫는데 이른바 일류대학으로 알려진 덕택에 서울대 학생들은 쉽게 얻는 자리였다. 쉽다고 하지만 같은 서울대 학생이라도 수원에 학교가 있고 기숙사 생활이 위주인 농대생들에게는 아예 불가능했고 대개는 경기고·서울고 등 일류고 출신으로서 그것도 공대·상대·의대 등 당시 지망률이 높은 대학의 학생들이 조건이 좋은 가정교사 자리를 차지하고 나면 나처럼 대학을 졸업해봐야 뭐가 되는지 알쏭달쏭한 문리대 불문과 학생에 지방 고등학교 출신에 설상가상으로 '하와이(전라도)' 출신까지 되고 보면 과히 쉬운 것도 아니었다.

그건 그렇고, 나에게서 서울 생활의 시작이란 세상에 태어나서 물질적으로 완전한 독립의 시작이었다. 그것은 확실히 낯설었다.

대학 생활의 낯섦 역시 그리 간단하지가 않았다. 그것은 먼저 김빠지는 느낌으로 시작되었다.

당시 신입생들 거의 모두가 토로했듯 대학이란 막상 들어와놓고 보니 영 매가리 없는 곳이었다. 수면과 춘정과 미래에 대한 불안과 싸워가며 변소 벽에도 수학 공식을 써 붙여놓고 1분 1초를 아껴 입학시험 공부하던 지난 1년의 노력에 미안해질 만큼 대학은 우리를 내팽개쳐두었다.

"대학 공부란 강의실에서보다 도서관에서, 교수한테서보다 자신이 알아서 해야 한다."

못 알아들을 말씀은 아닌데 국민학교부터 고등학교까지 꽉 짜인 틀 속에 자기를 맡겨 익숙해진 우리한테는 좀 난처한 통김이었다. 배지 달린 교복 한 벌 내주고는 시치미 뚝 떼고 마냥 우리를 내버려둬버리는 대학이 원망스러울 정도였다. 심지어 내가 정말 합격자 명단에 들어 있었던지가 의심스러웠으며 그러니 기를 쓰고 유니폼을 입고서야 안심했으며 그다음에는 뭘 해야 좋을지 몰라 두리번거리는 꼴이었다.

대학은 고등학교와는 너무나 달랐다. 고등학생일 때 우리는 자기가 어른이라고 주장해도 아무도 어른 취급을 해주지 않아 화가 나곤 했다. 그러자 자기가 하고 싶은 것을 이제 가르쳐줄 대학, 자기 인생에서 마지막으로 다니게 되는 교육기관, 그 앞에서는 말 잘 듣는 어린애가 되고 싶어 해도 아무도 어린애 취급을 하지 않는 것이었다.

이 갑자기 받게 된 어른 대접, 이 자유가 우리 신입생들은 당황스럽고, 당황을 감추느라 필요 이상으로 근엄한 표정을 짓고 다녔다.

근엄한 표정을 짓고는 같은 신입생끼리도 친해질 리 없다. 영문과·독문과·불문과 신입생들이 모여 있는 교양학부 B교실에도 애늙은이들이 우글거렸다. 쉬는 시간에 창가에 늘어서서 담배를 주고받으며 통성명하는 친구들은 대부분 어른 대접을 좀  더 일찍 받은 재수생 출신들이고, 몇 명이 둘러앉아서 낄낄대는 것은 주로 서울에 있는 고등학교의 동창생들이고, 괜히 변소만 오락가락하는 것은 아직 친구를 사귀지 못한 지방 출신 외톨이들이었다.

나는 물론 외톨이 축이었는데 둘러보니 알 만한 얼굴 하나와 알 만한 어른 하나가 있었다. 독문과의 이청준과 역시 독문과의 김광규였다.

이청준은 고등학교 때 한 번 만났다. 그는 광주일고를 다녔는데 광주에 가서 고등학교에 다니는 내 친구가 방학 때 그를 데리고 순천으로 와서 만났던 것이다. 청준이를 데리고 온 내 친구를 통해 그가 중학교 때부터 가정교사를 하며 공부했다는 것, 전남 지방에서는 일류라고 하는 광주서중·광주일고에서 계속 수석을 해온 수재라는 것 등을 알았다.

한 번밖에 만난 적이 없었지만 그때 그는 광주일고 학생회장을, 나는 순천고 학생회장을 했으므로 같은 학생회장이라는 사실로 나는 그에게 어린애 같은 친밀감을 느꼈다. 그런 친구를 생소한 사람들 가운데서 만나게 되니 무척 반가웠다. 그러면서 한편으로는 뜻밖이라는 느낌이 들었다. 독문학을 할 친구같이 보이지 않았다. 전남 지방에서는 가정 형편이 어려운 수재들은 대개 판검사를 목표로 법대에 진학하는 것이 통례였기 때문이다. 나는 이청준도 그러려니 생각했다. 아니, 그래야 할 친구로 생각했다. 내가 그런 뜻의 말을 했더니 그는 별다른 대답 없이 웃기만 했다.

김광규 역시 고등학교 때 이름을 알게 된 친구였다. 주로 고등학생을 상대로 내는 《신문예》라는 잡지에 시를 투고해 실린 적 있었는데 그 잡지가 지난 6개월 동안 발표된 작품 중에서 선별해 상을 주는 일종의 문학상 비슷한 것에서 서울고등학교의 김광규가 1등, 내가 3등을 했다. 그것을 서로 기억했다. 말하자면 지면지우紙面之友였다.

이 두 사람의 소개로 나는 정작 같은 과인 불문과 친구들보다는 독문과에 더 가까운 친구들을 사귀었다.

신입생 환영회에서

'지방 출신' '서울 출신'의 얘기가 나왔으니 말이지만, 당시 두 출신 사이의 가장 큰 차이는 문화 감각의 차이였다. 적어도 나에게는 그것이 가장 충격적으로 느껴졌다.

입학식이 있은 지 얼마 안 된 어느 날, 학생회에서 '신입생 환영회'를 베풀었다. 회장인 문리대 구내의 대강당으로 들어서니 막걸리 통이 여기저기 놓여 있고 빵 봉지가 하나씩 배급되었다. 연단에는 초청되어온 밴드가 자리 잡고 있었다. 학생회장이 나와서 '너희들을 환영한다. 신나게 놀아라'는 뜻의 인사말을 하고 나서 초청한 밴드마스터를 소개했다. 그런데 바로 그때부터 나는 당황하기 시작했다. 학생회장이 "김광수와 그의 악단입니다" 하고 소개하고 김광수라는 중년 사내가 생글거리며 우리 신입생들에게 절을 하자 여기저기서 "김광수!" "김광수!" 환호성이 터지며 박수가 요란했다. 나로서는 한 번도 못 들어본 이름인데 인기가 굉장했다. 어느 틈에들 저런 사람의 이름까지 알았을까? 아니, 밴드마스터 따위한테 환호를 보내는 녀석들을 이해할 수 없었다. 더구나 이춘희니 뭐니 하는 가수들이 나와서 가사를 한마디도 알아들을 수 없는 재즈를 불러대는데 여기저기서 합창으로 어울렸다.

무대 위로 뛰어 올라가 마이크를 들고 노래하는 신입생들이 속출했다. 그런데 한결같이 영어로 된 노래들이었다. '오, 캐를' 어쩌고저쩌고.

나도 노래라면 어지간히 좋아하고 아는 편이었지만 그것은 모두 옛날 우리나라 유행가였다. 그렇지 않으면 중고등학교 때 학교 스피커에서 흘러나오는 '트로이메라이' 정도뿐이었다. 이 외국 경음악의 세계에 관해서는 완전히 무식했다. 남들을 흉내 내어 박자에 맞춰 손바닥을 두들기기는 했지만 기가 팍 죽지 않을 수 없었다. 우리 집에는 라디오가 없었던 탓이겠지.

그러나 차츰 나는 대강당 안이 두 부류로 갈라져 있음을 알아챘다. '서울·부산 출신'과 '지방 출신'이었다. 기가 죽어 있는 것은 나만이 아니었다. 나만이 아님을 깨닫고 다시 보니 재즈에 흥분하는 그들이 모두 한국전쟁 때 부산 등지에서 미군 뒤를 졸졸 따라다니며 "헤이, 슈사인! 초콜렛 기브미!" 했을 것만 같아 보였다. 그렇다고 해서 내가 그들을 경멸했다거나 혐오했다는 것은 아니다. 그때까지 나 혼자만의 문제던 것이 어쩌면 많은 '지방 출신'의 문제일 수도 있다는 것을 발견한 느낌이었다.

여기에는 대단히 개인적인 설명이 필요하다. 내가 자란 호남 지방에서 한국전쟁은 조수 같은 것에 지나지 않았다. 바닷가에 밀물이 들어왔다가 때가 되어 썰물로 나가듯 그런 것이었다. '인민군이 진주해 3개월가량 점령했다가 퇴각했다.' 그렇게 표현해도 될 정도였다. 물론 썰물에 휩쓸려 나가는 모래나 자갈이 있듯 사람들이 죽고 집들이 폭격당했지만 주민 대부분의 생활 방식 자체에는 큰 변화가 없었다. 말할 것도 없이 이것은 다른 지방, 특히 당시 북한 주민 거의 전부와 서울·대전·대구·부산 등지의 사람들에게 닥친 한국전쟁과 비교해서의 이야기다.

한국전쟁이 터졌을 때 나는 국민학교 3학년으로 열 살이었고 전선이 38선 부근에서 교착된 다음 해, 즉 국민학교 4학년 때 학교 공부 외의 독서를 시작했는데 그때부터 구독하던 《새벗》이니 《소년세계》니 《학원》이니 하는 잡지나 내 사촌 형이 하는 세책점에서 빌려보는 만화나 소설 모두가 온통 끔찍한 전쟁 경험담, 피난지에서의 절망적인 생활 경험담으로 가득 차 있었다. 그것은 비교적 변화 없이 한국전쟁을 치르는 나에게 기묘한 콤플렉스를 안겨주었다. '천막으로 된 피난 학교에서 피난길에서 잃어버린

부모를 애타게 그리며 방과
후에는 구두닦이를 하며 그
러나 열심히 공부하는 아이
들'이야말로 한국의 아이들
이고 나는 이방의 아이인
것만 같은 콤플렉스가 싹텄
던 것이다. 역사의 현장인
이 아니라는 이 열등의식은
그 후 어쩌면 오늘까지도
한국전쟁 이후 형성된 나쁜 요소까지도 한국전쟁을 가장
절실하게 겪어낸 난민들이 주도·형성하는 것이라는 이유
로 나는 그것을 비난하기에 앞서 먼저 농촌의 아이가 밭
둑에 서서 지나가는 탱크를 구경하듯 멍하니 압도되어 바
라보곤 했다.

　말하자면 신입생 환영회장에서 내가 마주친 대도회 출
신, 즉 피난민 출신 친구들의 나와 다른 문화 감각도 나에
게는 그런 탱크였던 것이다. 그리고 그 자리에서 나는 나
만이 그런 열등의식의 소유자가 아닌 것 같다는 낌새를
눈치챘다.

　지금 돌이켜보면 당시 내가 동년배에게 느낀 이질감에
는 라디오나 텔레비전이 보급되고 안 되고의 차이가 아닌

문제가 있었던 것 같다. 오늘날 우리나라 젊은이 대부분에게 친숙한 문화도 햇수로는 13년 전에 불과하지만 당시로써는 자랄 수도 있고 죽어버릴 수도 있는 하나의 싹에 지나지 않았던 것 같다.

모든 것이 폐허에서 싹을 내밀기 시작한 당시, 청년 문화도 여러 가지 싹을 내밀었을 것이다. 그중 어느 하나가 또는 몇 개의 싹이 지난 13년 동안 자라서 오늘의 청년 문화가 되었을 것이다.

그렇게 생각할 때 당시 내가 느낀 이질감은 문자 그대로 이질감으로서, 하나의 싹이 성질이 다른 싹에 대해 느낀 감정이지 동질의 문화 속에서 그 양을 많이 누리고 적게 누린 차이에서 오는 느낌은 아니었다.

왜 이런 얘기를 하느냐 하면 그 신입생 환영회가 있은 지 얼마 후에 일어난 4·19에 의해, 즉 동질의 의식에 의해 동년배 사이의 감각 차이를 무시할 수 있게 되었고, 나아가서는 의식에 의해 '지방 출신'의 감각도 어떤 자리를 차지할 수 있게 되었다는 것을 말하고 싶기 때문이다. 4·19가 없었더라면 난민 감각 때문에 지방 출신의 의식은 앉을 자리를 못 찾았을 것이다.

4·19에 대하여

4·19에 대한 오늘날의 평가는 대체로 두 가지인 것 같다. '4·19 학생의거'로 부르는 평가와 '4·19 혁명'으로 부르고 싶어 하는 평가가 그것이다. 장기 집권을 위한 독재자의 부정선거를 규탄한 학생 사건으로 4·19의 의미를 한정시키자는 의견과 이 땅에 자유민주주의가 들어온 이후 처음으로 진정한 자유민주주의를 실현할 수 있는 자신과 용기를 불어넣어준 계기나 자유민주주의자들의 혁명으로 보고자 하는 의견이 있는 것이다. 전자는 4·19에서 '혓바닥만의 자유민주주의는 공산화로의 지름길'임을 강조하고 후자는 강력한 독재자에 대한 민중의 승리를 강조한다. 그러나 두 의견 사이에도 공통된 결론이 있는데 '그 주체가 학생이어서 그것이 체제로의 완성을 이루지 못하고 실패로 끝날 요인을 처음부터 안고 있었다'는 것이다.

4·19에 대한 오늘날의 평가야 어쨌든 그것의 주체 세대에 속한 우리에게는 아슬아슬하게 다행스러운 경험이 아닐 수

없다. 왜냐하면 우리가 국민학교 때부터 교과서로 받아온 교육이 4·19로 완성될 수 있었기 때문이다. 하마터면 그 완성을 보지 못하고 '교과서와 현실은 다르다'는 모순 속에서 자기들이 받아온 교육을 거추장스러운 쇠사슬로 여기며 살아갈 뻔했다. 4·19 이듬해에 있었던 5·16 군사정변 주체자들의 고백을 들어보면 쿠데타는 원래 4·19가 있었던 무렵으로 계획했는데 학생들이 선수를 써서 일단 포기했다는 것이다.

요컨대 수천 년 역사상 처음으로 이 땅에 자유민주주의를 학교에서 가르쳤고 그들의 학교생활을 시작한 4·19세대는 그들에게 '주권재민' '삼권분립' '정당정치' '민주주의 정신은 페어플레이 정신' 등등을 가르치는 학교 선생님으로부터 대통령에 이르기까지의 어른들이 비록 입으로는 가르쳤지만 얼마나 그것을 이해하지 못하며 자기들의 것으로는 생각하지 않는가를 모른 채 소박하고 순진하게 그것을 자기네 것으로 이해하였다. 한 개인의 일생에서 가장 중요한 첫 20년을 고스란히 동질의 교육을 받고 자란 세대란 4·19세대 이전에는 없었다. 이 점에서도 4·19세대는 행복한 세대이고 그들이 받은 교육을 4·19로써 구현해볼 수 있었던 것도 행복한 일이다. 하기야 이 행복은 가장 비참한 불행으로 바뀔 수도 있다.

만일 '이 땅의 풍토에는 교과서식 자유민주주의가 아무런 구원 수단이 될 수 없다'면 말이다. 그리고 만일 우리에게 그것을 가르치던 어른들이 뒤통수를 긁으며 '그것은 뭐 미국이 원조 물자를 주면서 가르치라고 해서 할 수 없이' 이런 식으로 나온다면 적어도 한 세대는 완전히 사기당한 꼴이 되고 만다.

4·19란 어쩌면 바로 이 사기당한 데 대한 분노의 표현이었다고도 할 수 있고 4·19로부터 10년 이상이 지난 오늘날에는 4·19세대란 적어도 외면적으로는 완전히 해체해버렸지만 그들이 지금 어디 가서 무엇을 하든 그들에게는 '행복'이 '불행'으로 바뀌지 않기를 바라는 기대가 일관되다고 나는 믿는다.

한편으로 4·19는 대학으로서는 난처한 경험이기도 했다. 4월 19일부터 30일까지는 학생 데모, 계엄령 선포, 이박사 하야 등으로 흥분의 연속이었다. 학교가 문을 연 것은 5월 1일부터였는데 그러나 수업이 제대로 될 리 없었다. 열광적인 분위기는 여름방학이 될 때까지 학교 안을 지배했다.

특히 문리대가 가장 심했다. 주로 정치과·외교과·사회학과의 고학년생들이 주동이 되어 대강당에서는 거의 매일 외부 인사(주로 정치인)들을 초청해 시국 강연회를 열었다. 학생들은 대부분 그런 강당으로 모여들었고 교수들은 아주 얌전한 학생 몇 명만을 상대로 강의하거나 그나마도 "휴강합시다" 하면 휴강했다. 학생들은 기고만장했다.

'어용 교수' 축출 운동을 벌임으로써 실제로 몇 교수를 쫓아내기도 했고, 노교수들로부터 야단을 맞기도 했다. 가령 지금은 돌아가신 이상백 교수 같은 분은 '너희가 부정선거 원흉으로 몰아낸 장경근 같은 사람도 너희만 했을 때는 동경제대 법과를 수석으로 졸업한 수재라고 했다. 그런 사람도 나이가 들어 세상 때에 물드니 그런 짓을 했는데 공부할 생각은 안 하고 정치가나 된 듯 우쭐대는 너희들이 이다음에 장경근의 나이가 되면 무슨 짓을 할지 기가 막힌다' 그런 뜻으로 노골적으로 학생들을 비난하곤 했다. 아닌 게 아니라 당시 학생들을 리드하던 고학년생 중에는 새로 선출하는 국회의원 입후보자 등으로부터 자금을 받아 학생들을 선거운동원으로 이용하려는 자들도 있었고 실제로 떼를 지어 선거운동을 하러 지방으로 흩어지는 학생들도 있었다.

학기말시험이 끝나자 향토계몽대를 조직해 방학 중에는 농촌으로 가서 농사일도 돕고 농민들에게 정치의식을 불어넣자는 운동이 있었다. 학생들은 밀짚모자 하나씩 쓰고 가슴에 향토계몽대 마크 하나씩 달고 학교에서 발행해준 학생 할인권으로 기차표를 싸게 사서(그나마도 대개는 학생들의 비위를 맞춘 국회의원들의 호주머니에서 나온 돈으로) 지방으로 흩어졌다. 이 향토계몽대는 4·19를 일으킨 책임자로서 대학생들이 그 부자유스러운 신분, 그 한정된 역량으로써 할 수 있었던 사회에 대한 최선의 새로운 질서 확립책이었는지는 알 수 없으나 많은 오해만 받고 말았고 별 소득도 없었다.

당시 캠퍼스를 지배하던 열광, 다음 해의 5·16 이후에도 계속해 수년 동안 캠퍼스에 남아 있던 그 열광이 그러나 캠퍼스 밖에서는 어리둥절한 혼란으로만 비쳤다는 것을 당시 우리는 알지 못했다.

사실 학생들의 임무는 이 박사의 하야로 끝난 것이었다. 나머지는 그 학생들을 자유민주주의로 길러낸 기성인들이 알아서 처리할 일이었다. 학생들은 한 인생에서도 팔뚝에 근육이 생기기 시작하고 신기한 것에 깊은 호기심을 나타내 보이는 한창 청춘이요, 그런데 누구에게도 불가능해 보이던 우상을 거꾸러뜨린 승리를 해낸 것이다. 기고만장 아니 할 수 없고 좀 까불어도 할 수 없다.

문제는 학생들의 기고만장을 슬쩍 받아넘기고 새로운 질서를 확립해갈 수 있는 사회 전반에 걸친 정치 역량이 부족하다는 데 있었다. 어쨌든 여름방학이 끝나고 2학기가 시작되었다. 지난 학기 학생들 사이에 뒤얽힌 동지 의식은 상급 학년과 하급 학년 사이의 간격을 없애버렸다. 안정된 집단에 으레 있는 고하 의식은 사라지고 친밀감으로 어울려 잔디밭에서나 다방에서 같은 학과의 상급 학년과 하급 학년생이 어울려 떠드는 것은 당시 흔히 볼 수 있는 풍경이었다. 당시 문리대 캠퍼스 풍경의 특징을 든다면 이것을 내세울 수 있다.

교우 시작

2학기가 시작되자 4·19로 인한 1학기 때의 열띤 분위기는 많이 가라앉았다. 교양학부 B교실의 영문과·독문과·불문과 학생들 사이에도 서먹서먹함이 사라지고 안정된 친밀감이 스며들었다. 차분히 공부하려는 자세를 갖추는 것 같았다.

그러나 내 생활은 그 무렵부터 어수선해지기 시작했다. 지난 1학기 동안은 성북동에 있는 어느 집에서 중학생을 가르

치는 가정교사로서 적어도 외면상으로는 비교적 안정된 생활을 해왔는데 몇 달 동안 그 일을 해보니 이것은 영 못 해먹을 노릇이었다.

제일 괴로운 것은 그 집이 가정교사를 두고 아이를 가르칠 수 있을 만큼 넉넉하지 않다는 사실이었다. 과부 어머니가 남편이 남겨준 약간의 재산을 이리 굴리고 저리 굴리며 아들 셋을 가르치는 집인데 어쩌면 그렇게도 우리 집 형편과 똑같은지 딱하고 답답했다. 바로 그 점 때문에 세끼 밥 먹고 잠자는 정도의 당시로써도 박한 보수에도 불구하고 몇 달 동안 내 동생 가르치는 기분으로 눌렀지만 나중에는 그 집 밥 한 그릇이라도 축내는 게 미안해지기만 해 여름방학이 되자 눈 딱 감고 그 집에 작별 인사를 해버렸다. 그러고 나서 방학 동안 고향에 가서 곰곰이 생각하니 다음 학기 서울에서 지낼 일이 막막했다.

그 무렵 한국일보사에서 경제신문이라는 일간지를 창간한다는 광고가 나왔기에 국민학교 때부터의 그림 솜씨를 동원해 연재만화 샘플 몇 장을 그려 서울경제신문 문화부장 앞으로 부치면서 '아직 연재만화가 결정되지 않았으면 본인에게 그리도록 해주십시오. 본인은 직업 만화가는 아니지만……' 어쩌고 했더니 뜻밖에도, 정말 뜻밖에도 문화부장 임영이란 분한테서 '고료 등 계약할 테니 신문사로 와달라'는 회신이 왔다. 얼씨구 이제는 살았구나 하고 달려갔더니 내가 예상한 것보다는 적었지만 대학생 한 사람이 하숙비를 내고 책을 사 보고 조금씩 저축해 한 학기 등록금을 마련하기에는 충분한 액수를 월급으로 준다는 것이었다.

그리하여 엉뚱하게도 만화가 노릇을 한 학기 동안 했는데, 신문의 연재만화라는 게 가난한 집 가정교사 노릇 이상으로 골치 아픈 것이었다. 아침에 눈만 뜨면 그날 그려야 할 만화에 대한 생각으로 머릿속이 가득 찼다. 그때 내가 그리던 만화의 주인공 이름은 '파고다 영감'이었다. 그 '파고다 영감'이 불문과 학생인 내 머릿속에서 불어 단어를 쓰레기 치우듯 빗자루로 쓸어내는 광경이 환히 보였는데 그것이야말로 진짜 만화였다. 그런 머릿속으로 학교 공부가 제대로 될 리 없었다.

설상가상으로 그 무렵에 『고바우 영감』을 그리는 김성환 씨와 친해졌다. 나는 이 양반한테 홀딱 빠져서 매일 오후 3시만 되면 동아일보사 근처에 있는 보래로라는 다방에서 그분과 만나 잡담으로 시간을 보내곤 했다. 말하자면 3시 이후의 강의에는 아예 들어가지도 않은 것이다. 나이 차이는 있지만 나로서는 서울에 와서 가슴을 열어놓고 사귄 최초의 친구인 셈이었다. 만화계의 일인자였던 김성환 씨는 서른 미만의 총각으로 집에서 독특한 유화를 그리고 수필을 쓰고 에드거 앨런 포 유의 음산한 외국 소설을 탐독했는데 내게는 그분과 문학 얘기, 미술 얘기 등을 하는 순간이 가장 사는 느낌을 받는 시간이었다.

학교에서는 강의 시간에 별로 충실하지 못하고 친구들과도 깊이 어울리지 않고, 어쩌다가 문학 이야기 같은 게 나오면 가장 잘 아는 체 열을 올리는 나를 같은 과 친구들은 문제아 취급을 하기 시작했다. 그러나 그 당시 내가 보기에 같은 과 친구들은 부모가 벌어주는 밥이나 얻어먹고 상식적인 소리나 하는 어린애들이었다. 나중에 《산문시대》를 하면서 친해진 김현·김치수 등도 그때는, 그쪽에서는 나를 '아는 체하는 건방진 촌놈' 정도로 생각했고 내 쪽에서는 '사범대학에나 갈 녀석들이 무슨 불문학을 한다고' 생각하며 같은 과라는 것 이상으로는 친하지 못했다.

독문과의 김광규·이청준 등에게는 친밀감을 느꼈으나 나의 어수선한 생활 때문에 그들과 깊이 어울릴 기회를 얻진 못했다. 이 무렵 가까이 지낸 친구는 독문과의 김주연이었다. 그는 한 달에 두 번 나오는 문리대 학생 신문인 《새세대》 기자로 일했는데 그의 소개로 나는 《새세대》에 「학원만평」이니 컷 등의 그림을 그리게 되면서 자연히 그와 자주 만났고 얼마 후에 내가 정식으로 《새세대》 기자가 되면서부터는 거의 매일 생활을 같이했다.

그런데 어느 날 김광규와 이청준이 키가 크고 안경을 쓴 영문과의 한 친구—얼굴은 알았지만 이름은 모르는—와 셋이서 나를 부르더니 동인회를 꾸미자고 했다. 그 안경을 쓰고 키가 큰 친구가 바로 지금 소설가인 박태순이었다. 그래 무슨 동인회냐고 했더니 명칭 같은 것은 없기로 하고 몇 명이 가끔 모여서 각자 써온 글을 읽고 서로 평해주는 모임을 하기로 했는데 나도 끼워줄 테니 같이하자는 것이었다.

그리하여 주로 서대문에 있는 박태순의 집 문간방에서 모임을 했는데, 멤버는 이청준과 나를 제외하고는 모두 김광규·박태순과 같은 서울고등학교 문예반 동창생인 진교준·한원삼·김신일 등이었다.

모임을 할 때는 의무적으로 글 한 편씩을 써서 오기로 했지만 그러나 그것이 제대로 실현되지 못했다. 김광규가 시 몇 편을 써 왔고 박태순과 한원삼이 소설을 한 편씩 써 왔던 것으로 기억한다. 정력적으로 시를 써 오는 이는 진교준이었다. 고등학교 재학 시절 서울 시내 각 고등학교

문예반 학생들 사이에서는 꽤 알려진 우수한 시를 쓴 친구였다. 나와 이청준은 항상 빈손이었다. 나로서는 이 친구들과 사귀게 된 것이 기쁘고 잡담하는 것이 즐거울 뿐이었다. 시인이나 소설가가 되기 위해 문학 수업을 할 생각은 조금도 없을 때였다. 문학을 좋아하고 글 같은 것을 쓰기도 했지만 그것은 어디까지나 취미였지 장차 문학을 하기 위해서가 아니었다. 그렇다고 다른 목표가 있지도 않았다. 아직 나는 내 미래를 결정하지 못하고 있었다. 그러나 지금 생각하면 그때의 이 모임이, 이 교우가 내가 문학을 시작하게 되는 첫걸음이었던 것 같다.

동인지를 갖지 않은 동인이란 으레 흐지부지되게 마련이다. 김광규·박태순·이청준 등과의 동인 모임도 비록 처음부터 동인지 같은 것은 갖지 않고 작품을 서로 돌려가며 읽고 토론하는 모임으로 못을 박고 시작했지만 결국 서로 이해할 수 있는 친구를 새로 얻었다는 것 이상으로는 뚜렷한 성과도 흔적도 남길 수 없었다. 잠깐 동인지를 만들자는 얘기도 나왔으나 동인지가 나오기 위해서는 무엇보다도 강렬한 발표욕과 돈과 동인들 다소간의 자기희생이 필요한 법인데 그 모두가 우리에게는 없었다. 좀 더 근원적으로는 활자화할 만한 작품을 써낼 능력이 아직 없음을 스스로 잘 알았다. 우리는 겨우 대학 1학년생이었다.

중고등학교 때 교지나 학생 잡지 따위에 뭘 좀 끄적거렸다고 하지만 그것은 일종의 국어 실력이지 문학은 아니라는 것쯤은 알 만큼 영리했다고나 할까.

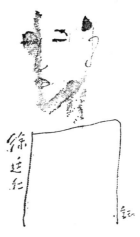

더구나 나는 솔직히 말해 내 인생의 방향을 문학 쪽으로는 전연 생각하지 않았으므로 동인 같은 것에 열성을 낼 이유가 없었다. 불문과를 지망한 것도 지금 생각하면 우습지만 영어·독일어는 기왕 공부했으니 불어 좀 배워볼까 하는 정도의 동기 때문이었다. 외국어만 통달해놓으면 어떤 방향의 공부든 혼자서 하면 될 것이고 그 공부로 내 장래가 결정될 것이라고 믿었고, 그러나 그 장래가 다만 문학은 아니라는 것밖에는 아직 결정짓지 못했다. 대학에 대한 기대조차 만족스럽지 않은 나의 왕성한 지식욕을 조금이나마 골고루 만족하게 해주면 그만이었고 그 점에서 나는 갖가지 학과를 갖춘 문리과 대학에 대단히 만족했다. 가령 시간상으로 구속당하던 1학년 교양 과정이 끝나고 2학년이 되어 수강 시간에 비교적 자유가 많아지자 나는 전공 과목인 불문과 강의는 학점 취득에 꼭 필요한 만큼

만 선택하고 나머지 선택 과목이나 도강을 철학·정치학·심리학·사회학 등으로 호화찬란하게 꾸몄다.

그러면서도 항상 문학만은 제외했다. 국문학이나 외국 문학 강의실에는 거의 들어가보지 않고 대학을 마쳤다. 문학이란 당시 내 생각으로는 특별히 대학에서까지 전문적으로 공부할 성질의 물건이 아니었다. 사람이라면 누구나 자기 일생을 살아가면서 틈틈이 읽기도 하고, 자기 경험을 털어놓고 써보기도 하는 것으로 충분했다. 어차피 문학이 일생 가지고 다닐 취미라면 아까운 대학 시절에는 앞으로 읽고 싶거나 알고 싶을 때 큰 곤란 당하지 않도록 갖가지 전문 분야의 입문 지식이나 공부해두는 게 옳다고 믿었다.

나중에 한국일보 신춘문예에 독자 투고하는 기분으로써 보낸 소설이 당선되고 그래서 소설가가 되기로 작정했을 때도 대학 공부에 대한 나의 그런 생각은 바뀌지 않았다. 오히려 소설을 쓰기 위해서는 더구나 전공 과목 강의보다는 다른 학문을 들어

야 한다고 생각했다. 소설은 문학이 아니었다. 그리고 그 것은 살아가면서 하나둘씩 써질 것이지 문학 강의를 듣는 다고 더 많이 더 잘 써지리라고는 믿지 않았다.

그러나 어쨌든 당시 그 모임 덕분에 김광규·박태순· 이청준 들과 맺은 우정은 나에게 귀중한 것이었다. 동인 모임 자체가 흐지부지돼버리고 난 다음에도 어쩌면 오늘 날까지도 서로의 작품에 대해 기탄없는 의견을 교환하고 충고를 구하고 자칫하면 식어버리기 쉬운 열의를 돋워주 기 위해 격려하는 우정을 가질 수 있다는 것은 다른 분야 에 비해 유난히 독선적이기 쉽고 아집에 사로잡힌 사람들 로 들끓는 '문단'에서는 참으로 귀중하다고 생각한다.

2학년이 되자 내 생활은 또 한 번 바뀌었다. 그때까지 그리던 신문의 연재만화도 집어치우고 굶게 되면 굶고 먹 게 되면 먹을 작정으로 공부 좀 해야겠다고 야전용 침대 하나와 자취 도구 몇 가지를 사서 문리대 구내에 있는《새 세대》사 안으로 들어갔다.

문리대 학생 신문인《새세대》는 한 달에 두 번 나오는 데 나는 처음에는 4면인 문예 면을 맡다가 나중에 불문 과 1년 후배이며 지금은 시를 쓰는 김화영이 입사하자 그 에게 문예 면을 물려주고 3면인 논문 면을 맡았다.《새세 대》는 유근일의 필화 사건으로 폐간된《우리의 구상》후

신으로 당시 4·19 이후에 활발해진 학생들의 자치 정신과 참여 의식의 소산으로서 교내 뉴스는 한 면으로 한정했고 나머지 세 면은 교수와 학생들의 의욕적인 논문으로 채웠다. 비록 지면은 좁았지만 전교 신문인《대학신문》보다 충실하고 개성 있는 기관지를 만들겠다고 열을 냈으며 당시 문리대 학생들은《대학신문》에보다《새세대》에 투고하기를 즐겼고《새세대》를 중심으로 학생 언론을 형성하려고 했다. 내가 졸업 후에 또 필화 사건으로 폐간당하고 말았다는 소식을 들었을 때 나는 내 대학 생활에서 빼놓고 생각할 수 없는《새세대》시절의 추억 때문에 몹시 서운했다.

《새세대》에서 일한 덕택에 나는 많은 친구를 알게 되었고 같은 세대의 의식구조를 좀 더 가까이서 관찰할 수 있었다. 또 재미난 것은《새세대》사 안에 야전침대를 들여놓고 자취하는 가난뱅이라는 이유로 문리대 안의 '거지'들이 매우 우호적으로 접근해왔고 심지어는 '거지 중의 거지' 대접을 받기도 했다. 그 '거지' 친구들 중에서도 특히 가까이 지낸 친구들은 지금 중앙일보 주불 특파원으로 일하는 주섭일, 지금 영화감독을 하는 하길종, 시인 김지하, 지금 코리아타임스에서 일하는 김송현 등이었다. 우리 이 몇 친구들은 교정에서 얼굴이 마주치면 점심 먹었

느냐는 게 인사였고 누군가가
굶었다고 하면 어디서 돈을 얻
어서라도 서로 밥을 사 먹이곤
했다. 특히 김송현은 키가 1미
터 정도로 신체가 특이했으므로
대학가에서는 모르는 사람이 없
어 주로 이 친구가 상점에서 영
원한 외상으로 우리의 필수품을
조달하곤 했다. 심지어 내 러닝

셔츠니 팬티까지도 이 친구는 외상으로 가져다주었다. 김
지하는 막걸리로 점심을 때우는 게 일쑤였고 주섭일은 헌
구두니 헌책이니를 서울에서 가장 싸게 파는 곳을 알아와
서 정보를 주는 게 '거지들' 사이에서 그의 임무였다.

우리 '거지들'은 그러나 누구보다도 구김살이 없었고 의
욕과 정열을 가지고 있었다. 이런 유의 거지들이 문리대
분위기를 주도하자 서울의 으리으리한 저택에 살면서도
그런 내색을 하지 않고 거지인 체하는 '사이비 거지들'도
나오는 진풍경이 벌어졌다. 이런 사이비들이야말로 아주
질이 나쁜 짓을 예사로 해 넘기곤 했다.

문학에의 첫걸음

2학년 여름방학도 나는《새세대》사를 지키며 보냈다. 교수에게 사용 허락을 받고 방학 중에 비어 있는 교수 연구실이나 학과 연구실에서 공부하는 학생들과 또 무더운 서울을 벗어나지 못하고 갈 데가 없어 결국 학교의 녹음을 찾아오는 '거지' 친구들과 어울려 잡담을 하거나 토론하는 것이 그 여름의 재미였다. 화제는 주로 지난 5월에 있었던 군사정변과 앞으로 전개될 역사에 대해서였다.

밤이 되면 그때 갓 만든 박물관 옆의 분수 못에서 발가벗고 목욕을 하곤 했다. 엄숙한 대학의 캠퍼스 안에서 비록 아무도 보지 않는 밤이지만 발가벗고 목욕을 한다는 것에는 파격적인 흥취가 있었다. 수위 영감님도 모른 체 눈감아주었다. 방학 중에 학교 안에서 기거하며 공부하던 우리는 그러나 그 이상의 행동을 할 줄 몰랐다.

질이 나쁜 것은 서울에 버젓이 집을 두고도 떼를 지어 다니며, 또 평소에도 서울대 학생이라는 것보다는 일류고 출신임을 스스로 더 강조하고 학생회 같은 데서 기어코 감투를 하나 차지해야 직성이 풀리고, 4·19를 머리에 내세운 전국 대학생 단체와 관계하며 오늘날에는 권력의 하수인이 되어 있거나 권력 주변을 얼쩡거리는 당시의 '사이비 거지들'이었다.

그 여름방학 중 어느 날 밤에는 그 사이비 중 일곱 명이 창녀 하나를 데리고 와서 《새세대》 사 안의 내 침대를 빌리자는 것이었다. 결국 거부하지 못하고 말았지만 이때처럼 그 사이비 놈들을 증오해본 적이 없었다. 나중에 이 사실을 우리 진짜 거지 패에 보고했더니 모두 "대학 안에서 그게 무슨 짓이냐" "그런 놈들 때문에 학우나 교수들이 우리까지 나쁘게 본다"고 격분해 그놈들을 때려주자고 결의했으나 때리지는 않고 그들 중 대표자 격인 학생회 간부 녀석을 운동 장가로 불러다 놓고 면박을 주었다.

10월로 접어들자 밤이 되면 추워서 더는 《새세대》 사 안에서 지낼 수가 없었다. 마침 학교 앞 연건동의 어느 집에 입주 가정교사 자리가 있어 기어들어 갔다. 그 집에 있는 동안 나는 소설이란 것을 처음 써보았다. 신춘문예 응모를 예정하긴 했지만 나로서는 당락에 신경을 쓰지 않았다. 나에게는 지독히도 힘겨운 서울 생활이 내 생명력의 스프링을 탄력의 한계점 이하로 끌어당겨버려서 허탈해지기 시작했으므로 나는 이번 학기만 마치면 군에 입대하기로 작정했다. 그렇게 작정하고 보니 뭔가 패배한 것 같고 밀려나는 것만 같아서 억울하고 분하기도 했다.

그 억울하고 분한 마음도 달랠 겸 일단 서울 생활을 청산하는 기념품을 남기고 싶었는데 그것을 나는 소설 쓰는 일로 삼았던 것이다. 처음에는 내 서울 생활의 리포트를 써보자고 시작했는데 이렇게 쓰나 저렇게 쓰나 내 마지막의 비밀을 나한테 아무런 흥미도 느끼지 않는 사람 앞에 털어놓는 것은 주책없어 보이기만 했다.

깨끗이 단념하고 '물건 하나 만드는 기분으로' 소설 한 편 써서 마감 기일이 제일 늦은 한국일보사의 신춘문예모집에 투고하고 학기말시험이 끝나자 짐보따리를 몽땅 싸 들고 순천 집으로 내려갔다. 그리고 소설의 당락보다는 군에서 자원 입대를 받아줄지 말지가 더 궁금해 그것을 이리저리 알아보았다. 왜냐하면 대학생에 한해 1년 반 복무라는 병역제도가 이번으로 마지막이었으므로 자원한다고 모두 들어갈 수 있는 것은 아니라는 소문이 있었기 때문이다.

그런데 뜻밖에도 1월 1일 자 신문을 보니 내 소설 「생명연습」이 당선되었고 한국일보 순천지사에서 사람이 달려와 본사에서 당선 소감을 써 보내란다는 것이었다. 몹시 기뻤다. 그리고 몹시 불안했다. 자꾸 피하고만 싶던 문학이라는 놈에게 덜미를 잡힌 것이다. 어쩐지 운명을 만난 느낌이었고 그러기에 뿌리치고 싶으면서도, 막막하던 내 미래가 그 안개를 살짝 열고 비교적 뚜렷이 보이는 길을 제시해주는 것에는 어떤 안도감을 느꼈다. 불확실한 미래를 점쳐보는 것처럼 고통스러운 것은 없다. 대학교 2학년 학생처럼 고통스러운 존재도 드물다.

소설 당선 상금을 받고 보니 입대할 생각이 싹 가셔버렸다. 상금 일부로 등록금이 마련되었고 이제부터 서울생활은 소설을 써서 가능할 것이다. 그런 행복한 어리석은 꿈을 꾸며 나는 다시 새 학기 등록을 했다.

등교한 첫날, 같은 과의 김현과 김치수가 나에게 신춘문예 당선을 축하한다고 하며 동인지를 같이해보자고 했다. 그 자리에서 나는 김광남이 '김현'이라는 필명으로 《자유문학》지의 신인문학상 평론 부문에 당선했음을 처음으로 알고 좀 뜻밖의 느낌을 받았다. 김치수가 문학동인지 하자는 제의를 하는 것도 뜻밖이었다. 평소에 이 두 친구는 문학 같은 것은 나는 모른다는 표정으로 붙어 공부에만 열심히 매달린 교수 지망생이었으므로 나는 그들과 털어놓고 문학 얘기를 할 기회가 변변히 없었고 또 부끄럽게도 그들을 내심 깔보았기 때문이다.

비로소 나는 내 주변에 소리 없이 문학 공부를 하는 친구들이 많다는 사실을 깨달았다. 하기야 그 친구들로서는 내가 소설 같은 것을 쓰리라고는 생각지도 못했을 터였다.

나중에 김현의 얘기를 들으니 방학 중에 목포에 있는

자기 집에서 내가 소설 당선한 것을 보고 몹시 흥분되더라는 것이다. 이해할 수 있는 일이었다. 무관심하게 보아넘기던 친구가 어느 날 뜻밖의 일을 했을 때 우리는 자기자신을 되돌아보곤 한다. 그래서 김현은 평론가로서의 등장을, 그 시일을 앞당겨버렸다는 것이다. 나는 그런 고백을 할 수 있는 그의 인간성이 좋아졌다. 겉으로는 감추고 있던 내 속의 자만심이 부끄러웠다.

그러잖아도 막상 소설이 당선되고 이제부터 좋은 소설을 써야겠다고 생각하고 보니 써지는 소설이 그 쓰는 사람에게 요구하는 그 어마어마하게 크고 헤아릴 수 없이 자질구레한 것들이 정면으로 나를 압도해와서 아연하기 시작하고, 거기에 불문과 교수님들로부터 어느 선배의 예를 들어가면서 "겸손한 태도로 우선 학교 공부를 열심히 하라"는 충고를 듣고 겁이 나 있던 중에 뜻밖의 친구들이 나타나서 우선 동인지를 하면서 습작 시기를 가져보자는 것이었다.

《산문시대》 창간

김현과 김치수와 나는 동인지 발간 준비에 열중하기 시

작했다. 동인지의 성격, 동인의 수와 성분, 동인지 체재와 인쇄 문제 등을 두고 꽤 오랫동안 의견을 교환했다.

우선 동인의 선정 문제에 이견이 생겼다. 나는 그전에 함께한 동인들 김광규·박태순·이청준 등과 또《새세대》를 하면서 그 능력들을 알게 된 문리대 안의 친구들 염무웅·김화영·조동일·주섭일 등을 동인으로 하자, 했고 김현과 김치수는 그렇게 잔뜩 벌려놓으면 결국 아무것도 못하게 되고 만다, 반대했다. 우선 일을 성공시키는 것이 중요하니 적극적으로 일을 추진할 수 있는 몇몇 사람으로 시작하기로 했다. 그렇다고 우리 세 사람만으로는 아무래도 싱거운 것 같았는데 그때 김현이 최하림을 소개했다. 김현이 방학 중에 고향인 목포에 갔다가 알게 된 친구인데 올해(1962년) 조선일보 신춘문예에 시가 당선되었고, 김현의 생각으로는 '최하림이야말로 예술가'라는 것이었다. 방학 동안 내처 그 친구와 만나서 문학 얘기를 하며 지냈는데 시뿐만 아니라 희곡도 쓰며 그의 예술적인 재능에 대해서는 자기가 존경해 마지않는다는 것이었다.

그리하여 최하림이 목포에서 상경해 동인지 발간 준비에 참여했다. 아닌 게 아니라 생김새부터가 천생 시인 같았다. 몹시 가난해 영양실조로 몸무게가 48킬로그램에 미달해 군대에서도 입대를 거부했다는, 그렇게 약한 몸으로도 문학에 대한 신념이나 정열은 무서울 만큼 대단해서 가령 나의 문학에 대한 약간 냉소적인 자세 같은 것을 전연 용서하지 않는 친구였다.

이리하여 동인지에 관한 몇 가지가 결정되었다. 동인지에 실린 작품은 시를 제외한 소설·희곡·평론 등 산문으로만 하기로 했다. 시를 제외한 이유는 이 동인지에 특색을 주기 위해서였다. 지금까지 동인지들이 대개 시 동인지였고 당시 '60년대의 사화집詞華集'이라는 기성 시인들이 주도하는 시 동인지가 착실하고 충실하게 나오고 있음을 상당히 의식한 결정이었다.

시를 제외하기로 하면서 프랑스의 사르트르가 발간하는《현대》지 얘기도 나왔으나 사르트르가 주장하듯 시는 문학일 수 없다는 그런 문학관 때문에 우리 동인지에서도 시를 제외하기로 한 것은 아니었다. 오히려 최하림이나 김현은 이 동인지를 통해 시정신에 의한 산문을 써보고 싶어 했다. 그것이 비록 과거에 소설이라고 부르는 것과 같지 않다고 하더라도 동인지라는 실험실에서는 한 번 시도해볼 만한 한국어 작업으로 생각했다. '시정신에 의한 산문'이라는 주제는 계속해서《산문시대》의 주제 역할을 한다.

동인명은 처음에 '질주'로 하자는 의견이 있었으나 너무

문학소년 냄새가 난다고 하여 내가 내세운 '산문시대'로 결정했다.

작품들은 가능한 대로 소설을 두 편씩 쓰기로 했다. 소설이 안 될 때는 평론이나 희곡을 쓰기로 했다.

인쇄는 프린트로 하기로 했다. 우리 처지에 활판인쇄는 엄두도 못 낼 것이어서 아예 단념하고 마침 김치수의 주인 따님이 한글 타자를 할 줄 안다고 해서 그 여자에게 부탁해 원지에 타자해 프린트하기로 했다.

그런 결정들을 하고 나니 이제 서로 약속한 마감 날짜까지 작품을 써낼 일만 남았는데 목포로 내려가 있던 최하림에게서 활판인쇄가 가능하다는 연락이 왔다. 값이 쌀 뿐만 아니라 활자 모양도 깨끗하고 예쁜 데를 찾았더니 드디어 전주에 그런 인쇄소가 한 군데 있어서 찾아갔더니 뜻밖에도 전주의 가림인쇄소 사장님이 종잇값만 부담한다면 조판비·인쇄비·제본비 등 인쇄소에서 할 수 있는 일은 공짜로 해주겠다고 한다고 연락해온 것이다. 우리는 귀를 의심할 만큼 기뻤다. 의젓하게 활자로 인쇄된 동인지를 낼 수만 있다면 얼마나 좋겠는가! 최하림의 편지가 사실이라면 종잇값 정도야 자기 아버지를 졸라서라도 타내겠다고 김현은 장담했다.

사실《산문시대》가 제법 책 꼴을 하고 발간되고 계속해

서 순조롭게 진행된 것은 거의 전적으로 가림인쇄소 김종배 사장님과 김현 부친의 은혜에 의존한 것이었다. 김사장님은 돈 한 푼 받지 않고 인쇄를 맡아주셨고 김현의 부친은 적지 않은 금액인 종잇값과 우리가 동인지 인쇄를 위해 전주에 체류하는 동안의 숙식비 등의 비용을 대주셨다. 이 두 분의 도움이 없었더라면 《산문시대》 역시 다른 동인지들과 마찬가지로 등사판 인쇄의 초라한 모습에 스스로 질려서 1호를 내놓고는 2호에서 문 달아버리는 꼴이 되었을 게 틀림없다.

나중에 만나본 김종배 사장님은 당시 연세가 40대 중반인 키가 자그마하고 장건하게 생긴 분으로 어렸을 때부터 갖은 고생을 다하며 자수성가했고 비록 뚜렷한 공부를 하지는 않았지만 의협심이 강하고 이상이 높았다. 인쇄소를 하게 된 것도 장삿속으로서가 아니라 진실로 지역 문화를 발전시키겠다는 그의 이상에 의한 것이었다. 최하림이 방문해 '대학생 몇 명이 이러이러한 목적으로 문학동인지를 발간하고 싶어서' 운운하니 선뜻 "내가 당신들을 기르겠다"고 나섰던 것이다.

최하림이 이 기쁜 소식을 안고 상경해 우리는 작품 탈고에 박차를 가했는데 문제가 생겼다. 김치수가 자기는 동인 활동을 안 하겠다고 했다. 그가 그만두겠다며 내세우는 이유는 "활판인쇄 같은 허황한 꿈을 꾸는 것을 보니 보나마나 일은 다 틀렸다. 현실적으로 가능한 등사판 인쇄나 착실히 해나갈 생각은 안 하고 괜히 허영에 들떠서 그러지들 마라"는 것이었다. 여태까지 동인지 발간 일을 가장 강력하게 끌어온 그가 '어디 그런 꿈같은 일이 성사될 성싶으냐'는 태도로 발뺌해버리니 나머지 사람들은 어이가 없기도 하고 약이 오르기도 했다. 특히 김현은 "그래 두고 보자, 너한테 보이기 위해서라도 버젓이 활판인쇄로 책을 만들어내고 말 테니" 했다. 그리하여 김현과 최하림과 나 셋이서 창간호를 만들게 되었다.

동인 모집

《산문시대》 1호에 실릴 원고들이 모였다. 김현의 소설 두 편, 최하림의 소설 한 편과 희곡 한 편, 내 소설 두 편이었다.

김현의 소설 「잃어버린 처용」은 마치 자동 기술에 의한 듯, 현재형의 단문으로 쓴 숨 가쁘게 헐떡이는 문체의 좀 파격적인 작품이었다. 스토리를 통해 일정한 주제를 제시하지 않고, 의식이 포착한 것만을 집요하게 묘사함으로써 조리 있는 스토리일 수 없는 생의 내면을 보여주려는 듯한 작품이었다.

그 후 《산문시대》에도 그리고 오늘날에도 문학평론 등의 에세이만 쓰는 김현이 만일 앞으로도 소설을 쓰지 않는다면 이 두 편이 처음이고 마지막 소설이 될 것이다. 그 자신은 그 두 작품을 매우 부끄러워했으나 가령 그가 부끄러워해도 좋을 만큼 그 두 작품이 졸렬했다 하더라도 그가 써온 우수한 문학평론들보다는 훨씬 더 그의 살아 있는 뜨거운 숨결을 느끼게 해주는 작품들이었다.

최하림의 소설 「여름시집」과 희곡 「성城」도 대단히 이색적인 작품들이었다. 하나하나는 날카로우면서도 전체적으로는 풍부한 이미지들의 배열을 따라가다 보면 하나의 스토리 끝에 도착해 있는 것을 발견하게 되는 작품들이었다. 한국어가 가진 가능성의 거의 완전한 미개발 지대를 열어 보이는 것이어서 오늘날 시만 쓰는 그가 《산문시대》에 쓴 몇몇 소설로 소설 쓰기를 끝내버리지 않고 계속해서 그 작업을 다듬어 나갔더라면 퍽 독특한 소설가가 되었을 것이다.

나는 한국일보 신춘문예 당선작인 「생명연습」과 「건」 등 단편 두 편을 실었다. 김현이나 최하림의 것에 비해 내 작품들은 가장 비실험적인 진부한 소설 양식에 충실했다.

원고들이 모이자 우리는 편집에 착수했다. 책을 만들어 본 사람이라면 잘 알겠지만 이 과정이 제일 재미있다. 우리는 그때 도미 중이어서 비어 있던 고석구 교수의 연구실을 빌려 밤을 새우며 판형은 무엇으로 할 것이냐, 표지는, 세로짜기냐 가로짜기냐 등을 결정했다. 판형은 국판형으로서 오늘날에는 많이 보급된 크라운판으로 하고 표지화로는 파울 클레의 그림을 흑백으로 사용하고 가로쓰기로 하고 파격적인 멋을 부리는 김에 프랑스 책들처럼 읽는 사람이 칼로 일일이 잘라서 볼 수 있게 제본하기로 했다.

문학지의 가로쓰기는 우리나라에서는 우리가 처음이라고 자부했는데 나중에 소설가 황순원 씨가 1930년대《단층》인가 하는 문학동인지가 최초라고 해 둘째가 되고 말았지만 불편한 프랑스식 제본은 틀림없이 우리가 최초일 것이다. 또 우리는 제1호를 이상李箱에게 바치기로 했다. 언어 실험실로서의《산문시대》창간호는 한국어를 보석처럼 갈아낸 이상에게 마땅히 바쳐야 했다. 부수는 300부 한정판으로 하여 권마다 번호를 매기기로 했다(2호부터는 500부 한정판으로 했다).

최하림이 원고를 싸 들고 인쇄하기 위해서 전주로 내려갔다. 학생이 아닌 그가 시간에 자유로웠다. 그리고 6월

하순쯤 어느 날, 그가 인쇄된 동인지 꾸러미를 들고 오는 날 김현과 나는 새벽 5시 반에 기차로 도착하는 그를 마중하러 서울역으로 나갔다. 새벽의 서울역 대기실에서 우리는 인쇄만 마치고 아직 제본은 하지 않은 동인지 꾸러미를 둘러싸고 서서 기쁘고 기뻐서 펄펄 뛰다시피 했다.

짐 꾸러미를 《새세대》사 안으로 옮기고 우리는 손수 제본했다. 접어서 구멍을 뚫고 철사를 꿰고 풀칠해서 표지를 붙였다. 《새세대》사 친구들이 자기 일처럼 도와주었다.

책 대부분을 증정했고 100여 부 정도를 몇 군데 대학 앞 서점들에 나누어 맡기고 팔아달라고 했다. 나중에 가보면 책이 다 팔리고 한 권도 없는데도 서점 주인은 얼마 안 되는 책값을 오늘내일 미루기만 해 수금은 거의 한 푼도 못 했다. 그래도 우리의 책이 얼마나마 팔렸다는 사실만으로도 즐거웠다.

1호가 뜻대로 나오자 우리는 그것을 키워갈 꿈으로 부풀었다. 우선 《산문시대》의 성격을 어떻게 키워 나가야 할지에 대해 두 가지 의견이 있었다. 하나는 순수하게 몇 사람만의 동인지로서 끌어 나가자, 또 하나는 대학생 문단지로서 그러나 완전히 개방하지 않고 재능 있는 친구들을 선택해 작품을 받아 싣자는 것이었다.

우리는 일단 후자로 결정을 내렸다. 그래서 서울대학교

안에서뿐만 아니라 다른 대학에서도 동인이 될 만한 친구를 찾아 나섰는데 여기서 뜻밖의 일에 부딪혔다. 그전에 함께 동인을 한 김광규·박태순에게 《산문시대》를 함께하기를 권했더니 "나도 신춘문예든 어디든 당선된 뒤에 들어가겠다"는 것이었다. 김현, 최하림, 나 세 사람이 이른바 문단에 데뷔했다는 사실에 꽤 신경을 쓰는 모양이었다. 나로서는 진심으로 존경하는 친구들이 그런 이유로 거절하는 것이 몹시 서운했다. 그러나 문학이란 자기 이름을 앞세우고 혼자서 하는 것이다. 권하는 우리 자신이야 아무리 그렇게 생각하지 말라고 해도 또 권유받는 그들의 처지에서 보면 출발부터 어떤 패거리의 일원으로서 한다는 것은 자존심을 해치는 것일 수도 있겠다고 이해되어 더 권할 수가 없었다. 함께하자고 권하고 싶었던 이청준과 김화영은 군에 입대하고 없었다. 김창웅만이 허심탄회하게 함께 일하기를 승낙했다. 그는 경기고 문예반장을 했고 《새세대》 편집장을 했는데 시·소설 모두에 능했다.

한편으로 다른 대학에서도 동인을 물색했는데 한국일보에 「잃은 자와 찾은 자」로 장편 모집에 당선한 김용성이 경희대학교 학생임을 알고 그를 만나서 동인이 되기를 권했다. 그런데 김용성은 시시한 문학청년들의 패거리에 자기가 얻은 명성을 이용당하고 싶지 않다는 듯한 표정으로 우리의 제의를 거부해버렸다. 서라벌예술대 쪽의 몇몇 재능 있는 친구들을 만나봤더니 정직하게 말해서, 별무의식 別無意識의 문학 견습공들이었다. 이쪽에서 함께하자고 권하고 싶지가 않았다.

동인을 찾아서

동인을 늘리기 위해 몇몇 사람을 접촉해본 결과 실망한 우리는 앞으로《산문시대》의 동인을 서울대학교 학생 중에서만 고르기로 했다. 그리고 동인 확충에 너무 조급해하지 않기로 했다. 우리가 대학을 마칠 때까지 정선된 동인이 10여 명으로 늘 수만 있다면 그리고《산문시대》에 실린 작품들이 우수하기만 하다면《산문시대》의 평판은 저절로 확립될 것이다.

일단 자리만 잡으면 재능 있는 후배들이 제 발로 가담해오리라고 우리는 기대하며 당분간은 소수 정예로《산문시대》발간 일자를 따로 정하지는 않았으나 1년에 최소한 세 번, 즉 4개월에 한 번쯤은 책이 나올 수 있도록 계획을 짰다. 그러나 결과적으로 이 계획을 실천하지 못하고 1년에 두 번, 즉 한 학기에 한 권씩 발간할 수밖에 없었다.

학생 신분으로서는 이 횟수가 가장 무리 없을 것 같다. 아니, 만일 동인 숫자가 많으면 1년에 네 번도 발간할 수 있을 것이다. 작품을 번갈아 싣고 제작도 번갈아 맡아서 한다면 말이다. 아무리 습작이라고 하지만 일단 활자화해 남에게 읽힐 것을 생각하면 작품 준비 기간도 꽤 걸린다. 또 제작도 인쇄소에 매달려야 하는 등 적잖은 시간과 손실을 요구하므로 자칫하면 학교 공부하는 시간보다 동인지 만드는 시간이 더 많아질 염려가 있다.

어쨌든 우리는 2학기가 시작되자 《산문시대》 2호를 발간할 준비를 했다. 동인은 세 사람이 더 늘었다. 강호무·김창웅·김치수가 새로 들어왔다. 김치수는 앞에서 얘기했듯 동인지의 가장 적극적인 창간 멤버였으나 활판인쇄가 불가능하리라 지레짐작하고 탈퇴해버렸는데 김현, 최하림과 나 세 사람만으로도 책이 제법 화려하게 나온 것을 보고 퍽 부끄러워하며 2호부터는 다시 참가하기로 했다. 그는 2호에 이오네스코의 희곡 「대머리 여가수」를 번역해 실었다. 강호무는 당시 서라벌예대에 재학 중이었으므로 서울대 학생만으로 동인을 구성한다는 원칙에 어긋났으나 그는 나와 고등학교 동창으로 그의 재능을 잘 아는 나로서는 꼭 동인으로 맞이하고 싶었다. 그 역시 최하림과 마찬가지로 시를 쓰려고 했는데 아닌 게 아니라 산문보다는 시에 더 재능이 있어서 나중에 발간한 그의 시집 『관목』과《산문시대》등에 발표한 소설은 문단에서도 호평을 받았으나 그가 까닭 없이 난해한 점 때문에 그것을 대하는 사람을 화나게 하곤 했다.

동인 구하는 얘기가 나온 김에 마지막 호가 된 5호까지 동인이 된 사람들을 만난 얘기를 하기로 하자. 3호에서는 김성일과 염무웅 등이 참가했다.

염무웅은 공부벌레 유형의 근엄한 학생이었는데 나는《새세대》에 발표한 그의 시가 뜻밖에도 좋아서 동인이 되기를 권했다. 그도 처음에는 박태순과 같은 이유로(신춘문예 같은 데 당선한 뒤에) 망설이는 눈치였으나《산문시대》를 통해 문학평론 습작 시절을 갖겠다고 작정하고 동인으로 들어왔다. 그는 독일의 시론·음악론·미술론 등에서 현대 예술이 성립한 과정을 찾아보려는「현대성 논고」를《산문시대》에 연재했다. 경향신문 신춘문예에 평론이 당선되어 정식으로(?) 문학평론가가 되는 것은 나중의 일이다.

오늘날 염무웅은 백낙청 씨와 함께 계간지《창작과 비평》을 끌고 나간다. 김현·김치수는 역시 계간지《문학과 지성》을 함께 끌고 나간다. 한국 문단의 중요한 두 계간지 편집진이《산문시대》의 동인이었다는 것은《산문시대》의 자랑이다.

김성일을 동인으로 맞이하기 위해 김현과 함께 주소만 들고 그의 집을 찾아 나선 것은 3호를 준비하던 1962년 겨울의 첫눈이 내리는 날이었다. 우리는 그를 한 번도 만난 적이 없었다. 우리가 아는 것은《현대문학》에 김동리 씨의 추천을 받은 그의 소설「흑색 시말서」가 대단히 새롭고 좋은 작품이라는 것과 공대 기계과 학생이라는 것뿐이었다.

　서울대 학생으로만 동인을 구한다는 원칙에 충실하기 위해 우리는 현대문학사에서 알아낸 주소만 가지고 그를 만나러 간 것이다. 보문동 어느 작은 한옥이 그의 집이었다. 다소 서먹서먹한 대접을 각오했는데 그는 어제 만난 친구처럼 반가워했다. 셋이 들어앉으면 꽉 차는 그의 작은 방에는 공대생인데도 온통 문학 서적으로만 가득했고 기타가 덩그러니 세워져 있었다. 그는 기타를 잘 쳤고 간단한 작곡 솜씨도 있었다.

　그날 이후로 김성일의 방이 우리 동인의 아지트가 되다시피 했다. 좁은 방에 빽빽이 들어앉아 술을 배우고 노래를 부르곤 했다. 거기서 김현이 작사하고 김성일이 작곡한「산문시대 노래」를 부르곤 했는데 그 노래는 제법이어서 요즘도 술집 같은 데서 어울리면 곧잘 그 노래를 부른다. 김성일의 집을 아지트로 삼아 지내던 그 무렵이 가장 문학청년다운 기분으로 지낸 때였다.

5호에서 동인으로 맞이한 서정인은 내 고등학교 5년 선배였다. 5년이나 차이가 있으므로 피차 전연 알지 못하는 사이였는데 1963년 가을에 《사상계》의 제1회 신인문학상 모집에 소설 「후송」이 당선되어 그 지면에서 그의 약력을 보고 그가 내 고등학교 선배라는 사실도, 문리대 영문과 재학 중에 군에 다녀오느라고 지금 우리와 같은 캠퍼스에서 공부한다는 사실도 알고 그를 동인으로 끌어들이기 위해 찾아갔다. 5년이나 선배였으므로 나로서는 가뜩이나 대하기 어려운 심정인데 이 양반이 워낙 말이 없고 타인과 어울리기를 좋아하지 않는 성미여서 함께 동인 하자는 말이 얼른 나오지 않았다. 겨우 입을 열어 함께 동인 하자는데 반응이 별로 좋지 않았다. 애들 장난 같은 동인에 끼어들기가 싫다는 듯한 표정이었다. 그를 동인으로 맞이하기 위해 나와 김현은 그의 하숙방을 뻔질나게 찾아다녔고 결국 승낙을 받았다. 그는 5호에 「말·말·말」이라는 외국 단편을 번역했다.

좋은 동인을 구하는 일은 생각보다 힘들었다. 그러나 얻고 나면 그처럼 든든한 것도 없다. 비록 개성이 다르고 작품 세계가 다르더라도 문학에 대한 이해가 비슷한 사람끼리 모일 수 있다면 삶은 유쾌한 것이다.

《산문시대》가 조금씩 조금씩 자리를 잡아가는 한편에서 《산문시대》에 자극을 받아 하나의 동인지가 탄생했다. 조동일·임중빈·주섭일·이광훈 등이 만든 비평 동인지 《비평작업》으로, 《산문시대》를 순수로 규정지으며 문학의 '현실참여'를 주장했다. 2호까지 나오고 말았지만 《산문시대》와 함께 대학생들이 주도한 뜻깊은 문학 동인 활동이었다.

신춘문예 당선 소감

저의 학기말시험과 제가 맡아 가르치던 애의 중학 입시와 그리고 작품 모집 마감 날짜의 박두, 이 셋이 한꺼번에 겹쳐서 정말 지난 12월에는 여간 애를 먹지 않았습니다.

마감 날 밤 8시경에야 간신히 신문사 문화부 데스크에 제 원고를 바쳐놓고 나서 제게 속하는 물건들을 빠짐없이 몽땅 꾸려가지고 에잇 지긋지긋한 서울 내가 다시 오나봐라 하고 내려와버렸습니다만 비감하기는 여전, 한강 철교를 건널 때 어둠 속에서 명멸하는 도심의 불빛들을 보고 그만 눈물을 흘려버리던 생각만 했습니다. 꽉 막힌 스물한 살. 성욕조차 물러가버린 섣달이었습니다. 그러다가 초하룻날 신문을 보니 제 이름이 나와 있었습니다.

훌륭한 소설가가 되었으면 좋겠습니다. 단념이라든지 편견이라는 어휘들이 이제는 제법 몸에 익은 듯싶습니다만 그러나 제 생활의 셈이 무엇인지 아직도 알쏭달쏭하기는 여전합니다. 스물두 살 때는 글을 어떻게 쓸 줄 모른다고 카뮈가 말했습니다만 어떻게 살 줄 모른다는 얘기도 되겠습니다.

알량한 노변 서적상들이나 팔러 다니는 처세 철학책 따위에나 실린 말 한마디를 뜻밖에도 저의 전체로 긍정하고 감격해야 하는 순간이 때때로 있는데 그럴 때면 분하기도 하고 한편으로는 이게 산다는 것인가 보다 하고 옷깃을 여미기도 합니다. 문학적 체험으로서 이 인생이라는 말을 생각해봅니다. 그러나 아직 모르긴 몰라도 세상에는 쓸쓸한 일뿐일 것 같습니다.

지난해에 제 고향의 친구 두 명이 자살했습니다. 저는 부끄러워서 혼이 났습니다. 아마 허영쯤 되겠습니다만, 늘 남이 해버린 뒤에야 아차 그것은 내가 생각한 것인데 하고 억울해하는 놈입니다. 평범하다는 이야기올시다.

제게 문학을 가르쳐주시는 분들께 감사합니다.

동인문학상 수상 소감

　자라면서 여러 가지 이름의 상을 받아보았고 한편 상을 받을 수 있도록 노력해보았습니다만 그중에 저 자신은 예기치도 못한 엉뚱한 상을 두 가지 받았습니다. 그중 하나는 국민학교 5학년 때 어린이날에 도지사에게서 받은 '착한어린이상'이고 다른 하나가 이번의 동인문학상입니다. 몸이 약해서 다른 애들과 잘 어울려 놀지 않고 한쪽에서 만화책이나 들여다보는 제가 아마 학교 선생님들께는 얌전하게 보였던 모양이고, 막연하나마 누구나 느낄 것을 다소 엄살 섞인 몸짓으로 표현한 소설을 문학상 수상감이라고 심사위원 되시는 분들은 생각하셨던 모양입니다. 세상의 허술함에 놀라고 싶을 지경입니다.

　그러나 그 '허술함' 때문에 저는 하나의 가능성을 생각합니다. 흔히 우리는 이런 얘기를 듣습니다. 지금 우리나라에는 질서가 없다, 가치 판단의 기준이 없다, 신이 없다. 그런 의견들은 사실 옳은 것 같고, 그것이 아무리 현대 전 세계의 특징이라고 할지라도 무서운 현상입니다. 본능밖에 가진 것이 없으므로 얼마든지 잔인해질 수 있는 원시인은 몇만 년 전에만 있을 수 있는 게 아니기 때문입니다. 작가로서 저는, 가령 우리의 다음 세대 또는 나중의 우리가 그것을 파괴하는 재미를 맛보기 위해서라도 우선 질서를 만들 필요를 절감합니다.

물론 저는 옛날의 봉건적인 질서를 부활하자는 것이 아닙니다. 너무 소박한지는 모르겠으나 우선 제가 생각하는 질서는 인간이 잔인해지지 않은, 타인의 고통을 자기도 느낄 수 있는 환경을 가리킵니다. 그런 환경을 만드는 데 방해가 되는 것들을 저는 저의 적으로 생각합니다. 사람들의 눈짓 저편에, 가슴 저편에 또는 조직의 회칠한 대문짝 저편에 숨어 있는 적들을 하나하나 끄집어내어 그의 모습을 뚜렷이 봄으로써 저는 적으로부터 항복을 받고자 합니다. 그것을 저는 앞으로도 얼마 동안은 제 작품으로 삼고 싶습니다. '세상의 허술함'이 저를 도울 것입니다.

우리 시대에 가장 필요한 것은 타인의 어떤 언어, 어떤 포즈를 그대로 받아들여서 거기에 내가 반응한다는 방정식이라고 생각합니다. '체'를 인정하지 않을 때 우리는 거기서 생기는 무서운 혼란을 겪어야 합니다. 어떤 포즈 없이 우리는 아무것도 소유할 수 없으며 만들어낼 수도 없습니다. 타인의 죽음까지도 우리는 하나의 언어라고 생각해주어야 합니다.

이번에 상을 받으면서 감사드리고 싶은 사람들이 많습니다. 고등학교 때의 여러 선생님, 대학 강의실에서 제게 문학을 가르쳐주신 여러 교수, 제 어머님, 문단에 나온 뒤 많은 가르침을 베풀어주신 선배 작가 여러분,《산문시대》동인,《사상계》사가 그분들입니다. 제가 받은 이번 상이 앞으로 잘해보라는 뜻인 줄도 저는 잘 압니다.

이상문학상 수상 소감

《문학사상》이 제정한 이상문학상 제1회 수상자로 결정되었다는 뜻밖의 전화 통고를 받았을 때 나는 무척 당황했고 착잡했다. 황소처럼 성실한 태도로 꾸준히 작품 활동을 하는 여러 문우의 얼굴이 떠오르고, 그 얼굴 중에 내 나름으로 마땅한 수상자를 골라보았으며,「서울의 달빛 0장」을 발표한 잡지를 꺼내 수상작을 새삼스럽게 차근차근 읽어보며 수상감인지 어쩐지 스스로 가늠해보았으며, 한편으로 그동안 내가 읽고 감동한 다른 이들의 작품과 비교해보았다. 앞으로는 소설 좀 열심히 쓰라는 뜻에서 이 상을 준다는 심사위원님들의 음성이 들리는 것 같고, 역사주의의 물결 높은 대하 가운데 이상적李箱的 자아문학自我文學의 외로운 깃발을 지켜보려는 《문학사상》 주간 이어령 선생의 안간힘이 뜨거운 숨결처럼 느껴졌다.

사실 수상 소식을 들었을 때 나를 가장 괴롭힌 것은 '이 상문학상 제1회 수상자'라는 타이틀이었다. 나 역시 이상 이 자신의 문학보다 김유정의 문학을 더 좋아했던 그 갈 등에 항상 얽혀 있기 때문이다. 이상적 문학의 비극은 스 스로 비주류임을 인식해야 하고 떼 지어 도도히 흘러가 는 대하에 부대끼는 외로운 섬으로 있어야 한다는 데 있 기 때문이다. 아니, 이상을 기념하는 문학상이라고 해서 반드시 이상의 아류에게 주는 상일 수는 없을 것이다. 오 히려 식민지의 캄캄한 어둠의 중량에 짓눌리면서 자신이 인간임을 확인하기 위해 언어를 혹사한 이상의 그 갈증을 기념하기 위한 상일 것이다.

　물론 하나의 문학상에는 하나의 문학관이 내걸려 있다. 그러나 그 문학관은 해가 거듭되고 수상작이 쌓이면서 형 성되어 노출되며 사회적·문학사적 평가를 얻을 수 있다. 그 평가는 또한 한 개의 초석 노릇을 벗어날 수 없는 제1 회 수상자가 앞으로 보여줄 문학과 그 파급효과라는 뜻에 서 퍽 긴밀하게 관계된다는 점만 나는 잊지 않으면 될 것 이다. 내가 맡아야 할 역할을 확인하며, 책임을 저버리지 않겠다는 약속을 하며, 심사위원 선생님들의 노고에 감사 하며, 문우들의 따뜻한 격려를 기대하며,《문학사상》과 이 상문학상의 발전을 빌며 염치없이 이 상을 받는다.

당신의 아픔이 나의 아픔이기를

　먼저, 이상문학상을 제정해 제게 분수에 넘치는 영광스러운 자리를 베풀어주신 문학사상사에 감사드립니다. 서툰 작품을 수상작으로 뽑아주신 심사위원 선생님들께도 감사드립니다. 성실한 태도로 훌륭한 작품을 많이 써낸 문우들 앞에서 낯이 뜨거워짐을 참기 어렵다는 말씀을 드리고 싶습니다. 자신의 문학 때문에 고통받는 다정다감한 문우들을 생각하면 상을 받는 기쁨도 슬픔으로 바뀐다는 말씀을 드리고 싶습니다.

　저는 이 상을 받으면서 많은 생각을 했습니다. 수많은 질문을 저 자신에게 던져보았습니다. 그 많은 질문도 간추려보면 다음과 같은 두 가지가 될 것입니다.

　사람들은 나한테서 무엇을 기대하는가? 나는 사람들에

게 무엇을 주고 싶어 하고 줄 수 있는가?

슬프게도 그 질문에 대한 제 대답은, 사람들에게 줄 수 있는 것은 나 자신밖에 없다는 것이었습니다. 제가 이 시대, 이 나라, 이 이웃 속에 살아가면서 보고 듣고 느꼈고 그리하여 상상한 것을 줄 수밖에 없다는 것입니다. 특히 제가 줄 수 있는 것은 저의 초라한 상상밖에 없습니다.

바라건대, 제 상상을 드렸다면 제 모든 것을 받은 것으로 여겨주시기 바랍니다. 왜냐하면 저는 인간이란 상상이라고 믿기 때문입니다. 자연 속의 수많은 물체와 현상들이 법칙의 구속 속에서 아무 갈등을 느끼지 않고 편안한 잠을 잘 때 인간만이 홀로 완전한 자유를 상상하며, 완전한 평등을 그리면서 진실과 허위를 구별해보기도 하고 선한 것과 악한 것을 나눠보려 하며 아름다운 것과 추한 것을 규정해봅니다. 그리하여 때로는 죽음이라는 완전한 어둠 속에서 그 완전한 자유와 평등을 찾아내기도 합니다. 상상하므로 현실은 고통스러우며, 고통받으므로 우리는 감히 우리 자신을 돌이나 나무라 하지 않고 인간이라고 부르는 것입니다.

저는 사람들에게 제 고통을 드리겠습니다. 다행히 제 고통이 다른 이들의 고통과 같다면 행복할 것이고, 제 고

통이 다른 이들의 고통과 동떨어져 있다면 저는 불행할
것입니다. 그렇습니다. 인간의 행복이란 자신의 고통과
다른 이들의 고통이 같을 때 비로소 태어나는 것이라고
저는 생각합니다.

  소설을 쓰지 못하던 지난 수년 동안 제가 살벌한 벌판
을 방황하면서 찾아낸 것은 바로 그 세 가지임을 다시 한
번 강조하면서 수상 연설을 갈음하고자 합니다. 즉, 인간
이란 상상이다. 상상은 고통을 만든다. 고통을 함께하는
인간끼리는 행복하다. 새로운 발견이 없는 한 당분간 저
는 이 세 가지 재료로 얽은 도그마에 의해 작품을 써낼 것
같습니다.

  다시 한 번 부탁드립니다만, 제 작품은 제 상상이고 제
상상은 저 자신이고 제가 여러분께 드릴 수 있는 것은 그
것밖에 없음을 양해해주시기 바랍니다. 감사합니다.

이상문학상 수상 연설

1977년 10월 20일 숙명여자고등학교 강당에서

3부

제야의 문답

문_ 물론 네 부모 덕택이겠지만, 우연히도 1960년대와 너의 20대는 일치한다. 60년에 스무 살이 되었고 69년에 스물아홉 살이 되었다. 먼저 60년대에 청춘을 보낼 수 있었던 너의 행운에 대해 신과 부모님께 감사드려라.

답_ 60년대에 20대가 되었다는 게 왜 행운인가?

문_ 묻는 쪽은 나야. 잔말 말고 감사드리라면 드려! 네가 만일 조금 빨리 태어나 50년대에 20대를 맞았다고 생각해봐. 지금쯤 너의 백골은 어느 이름 없는 산에서 뒹굴며 썩어갈지 몰라. 아니면 적어도 전쟁의 메마른 먼지를 둘러쓴 덕분에 머릿속이 텅텅 비고 다만 생존해보려는 악 밖에는 가진 것이 없는 인간이 되어 있을 거야. 그리고 만일 네가 조금 더 일찍 태어나서 40년대에 청춘을 맞았다고 상상해봐. 뭐 내 입으로 설명할 필요도 없겠지. 그런데 너는 다만 좀 늦게 태어났다는 덕택에 교육도 비교적 체계적으로 받았고, 정말 목숨이 오락가락하는 위험을 피했단 말이야. 그런데도 행운이 아니란 말인가?

　　답_ 듣고 보니 그럴듯하군. 그럼 감사드리기로 하지. 그러나 신이라든지 부모님께는 아니야. 신은 아직도 우리가 가야 할 길에 폭탄을 파묻어두었고 부모님이 나를 알맞은 시간에 태어나게 한 것은 무의식적인 것이었으니까. 그러므로 우리가 감사해야 할 사람들은 바로 50년대에 자기네 청춘을 희생한 사람들, 40년대에 자기네 청춘을 학대받던 사람들, 30년대에 자기의 청춘을 괴로워한 사람들…… 다시 말해 과거에 비하면 퍽 평온한 세월, 60년대를 마련하는 데 공헌한 사람들이지. 하지만 우리도 약간은 평온하지 않게 지냈어.

　　문_ 4·19 말인가?
　　답_ 그거라면 유쾌한 기억이지.

　　문_ 그럼 뭐가 평온하지 않았단 말인가?
　　답_ 가령 베트남전쟁 참전일 수도 있지. 내 고향 친구는 머리가 나빴는지 중학교 때 공부를 잘하지 못했어. 그러나 운동은 잘했어. 특히 태권도 실력이 상당했지. 군대에 가서는 태권도 교관이 되어 월남으로 갔어. 거기서 베트공이 장치한 폭탄에 죽었어. 가지 않았더라면 안 죽었을 거야.

문_ 베트남전쟁 참전에 시비를 거는 것인가? 그것은 대의명분이 뚜렷한 일이 아니었나 말이야.

답_ 나는 우리도 완전히 평온하지만은 않았다는 얘기를 하는 거야. 물론 대의명분은 알지. 그것 때문에 얻은 이득도 알고. 그 이득 때문에 나는 그 친구의 죽음에 대한 슬픔을 겨우 달래보려고 애쓰는 거야.

문_ 베트남전쟁 참전 때문에 얻은 이득이라면 역시 '달러' 말인가?

답_ 천만의 말씀. 그것은 몇 사람이 자기네 빌딩 짓는 데 사용해버렸어. 물론 국가 전체적으로야 이득이 상당했지. 그러나 그보다도 나는 이렇게 생각해보는 거야. 베트남전쟁 참전 덕분에 우리 민족의 고질인 열등의식이 다소나마 씻기지 않았을까 하고 말이야. 우리 군대가 우리 국토 아닌 땅에서 전쟁을 해봤다는 뜻의 동물적인 우월감 말이야. 물론 터무니없이 소박한 생각일지도 몰라. 우스

꽝스럽도록 자만심만 뱃속에 가득한 민족이 되는 것도 바람직한 것은 아니지. 그러나 우리에게 열등의식은 거의 자학적인 것이었지. 그런 불행한 기회를 통해서나마 병적인 상태는 벗어났으면 하는 게 내가 바라는 거야. 물론 베트남전쟁 참전에 대한 역사적·도덕적 평가는 아냐.

문_ 네 또래 녀석들은 걸핏하면 4·19를 들먹거리는데 그게 너희들 자신한테는 어떤 의미가 있는가?

답_ 여러 가지로 뜻있는 일이었지. 그러나 무엇보다도 우리가 받아온 교육을 실천할 기회를 가질 수 있었다는 점에 의미를 두고 싶어. 해방 후에 국민학교에 입학한 우리는 자라나면서 이렇게 교육받았지. 자유민주주의란 좋은 것이다, 목숨을 걸고서라도 지킬 만한 가치가 있다. 그렇게 배우면서 철이 들었는데 둘러보니 어른들은 아직 그것을 잘 모르더란 말이야. 어른들이야 사실 알 턱이 없지. 머리가 돌처럼 굳은 후에야 소문으로만 주워들었으니까. '자유' 하면 먼저 '방종과 비슷한 말인데……' 어쩌고 하며 고개를 갸웃거리고 '민주주의' 하면 대통령이라는 제도만 형식적으로 갖추면 되는 줄 알더란 말이야.

5천년 한국 역사상 자유민주주의라는 것을 어렸을 때부터 공부한 것은 우리 또래가 처음이야. 공부했으면 그다음에는 실천해야지. 그래서 우리는 실천한 거야. 나중에는 본의 아니게 부작용이 일어난 것도 사실이지만, 그러나 몇 가지의 부작용 때문에 깊은 의미가 무시되어서는 안 돼. 4·19는 우리 민족이 키워 나가야 할 씨앗이라고 우리는 생각하는 거지.

문__ 4·19 세대로서 그 후 대학생들이 걸핏하면 데모를 벌이는 버릇을 가지게 된 점에 책임감을 느끼지 않는가?

답__ 책임감이라면 이쪽에서 묻고 싶다. 기성세대인 당신들은 청춘이던 때를 잊었는가? 순수하게 열광할 수 있는 청춘의 특성을 잊었는가? 그리고 그 특성을 발휘할 수 없도록 압박받아 마침내는 꺾여버렸을 때의 무기력·열등의식·좌절감의 고통을 잊었는가? 당신들이야말로 그것을 가장 잘 알 사람들이다. 당신들은 꺾였으므로 마침내는 만사에 쉬쉬하는 버릇이 붙어버렸다. 물론 당신들은 사회질서를 유지해야 하는 무거운 짐을 짊어지고 있다. 그렇다고 하여 청춘에게서 청춘다운 특성을 제거하려는 압제자가 돼도 좋다는 권리를 가지고 있는 것은 아니다. 당신들이 해도 좋은 일은 젊은이들과 싸우는 일이 아니라 그들을 위해 고함칠 수 있는 일정한 광장을 마련해주는 일이며 그들의 피를, 그 뜨거운 온도를 오래오래 유지해줄 보온병 구실을 해주는 일이다.

정말 걱정되는 것은 당신들의 지나친 압력 때문에 청춘이 열광할 줄 아는 능력을 잃어버린 박제들이 돼버려 우리 모두의 최소한의 자유마저 유린당하는 위기에 부딪히는 경우가 와도 슬슬 꽁무니를 빼는 무기력하고 비겁한 청춘이 될까 봐, 하는 것이다. 우리는 소음에 익숙해져야 한다. 조용한 것만이 가장 좋은 것은 아니다.

정직한 이들의 날

응급 치료실의 문이 활짝 열린다. 땀과 피로 걸레처럼 젖은 가운을 입은 의과대 학생이 들것을 무겁게 들고 비틀거리며 달리다시피 들어온다. 들것 위에는 대학 교복을 입은 한 젊은이가 입으로 피거품을 가쁘게 뿜어내며 꿈틀거린다.

"중상입니다. 치료대는 어디 있어요?"

"치료대가 모자라요. 우선 중환자실로, 이쪽으로 오세요." 땀투성이의 간호사가 쉰 음성으로 말하며 벌써 앞장서 달린다.

사실 그다지 좁지도 않은 치료실 안은 먼저 실려 온 총상자들로 꽉 차 있다. 거의 모두가 스무 살 안팎의 대학생이다. 그들의 옷에 묻어온 화약의 냄새와 그들의 상처에서 쏟아지는 피와 그들의 고통스러운 비명과 신음, 그리고 긴장할 대로 긴장한 간호사들과 의사들의 바쁜 손길로 치료실은 꽉 차 있다.

데모 군중들의 함성과 합창 소리 그리고 그 우렁찬 소리를 침묵시키고야 말겠다는 듯 쉬지 않고 쏘아대는 경찰의 총소리가 수도육군병원 복도에서도 만질 수가 있을 듯 가까이 들린다.

"야단났어요. 부상자는 자꾸 들어오는데 손이 모자라요. 모자라는 것은 손만이 아니에요. 피가, 피가 모자라서 큰일 났어요. 부상자가 더 늘어나면 수혈도 못 해보고 죽일 것 같아요. 부상자가 많겠죠?" 금방이라도 울음을 터뜨릴 것 같은 음성으로 간호사가 말한다.

수술실에서는 수술 도중에 죽은 부상자가 흰 시트에 덮여 실려 나오고 다른 부상자가 실려 들어간다.

"벌써 열한 명이 수술 도중에 죽었어요. 수술받은 부상자 중에도 살아날 수 있는 사람은 몇 명 안 될 거예요. 수술받아보지도 못하고 죽은 학생들도 있어요. 미쳤어요. 모두 미쳤어요. 왜 데모를 하고 또 왜 총을 쏘아 아까운 젊은이들을 죽이는지. 모두 미쳤어요."

"학생들은 미치지 않았어요." 들것에 실려 가는 젊은이가 피거품과 함께 띄엄띄엄 말을 토한다. "우리는 학교에서 배웠어요. 부정한 짓을 하면 안 된다고. 그래서 선거를 부정으로 한 사람들에게 선거를 공정하게 다시 하라고 말했어요. 그것뿐이에요. 미친 것이 아니죠."

"말하지 말아요. 말하면 피가 더 나와요."

들것을 들고 가던 의과대 학생들 중 하나가 부상자의 말을 중단시킨다.

"이 학생이 데모 주동자인가요?"

간호사가 의과대 학생에게 묻는다. 들것 위의 젊은이는 고개를 젓는다. 그리고 말한다. "학교 교과서가 주동자예요. 부정을 그냥 보고만 있는 것도 부정이라고 가르치는 교과서가!"

"말하지 말라니까요. 피가……."

중환자실 역시 부상자들의 비명과 신음으로 꽉 차 있다. 거기에 새로운 부상자들이 잇달아 들어온다. 뜨거운 피는 쉼 없이 흘러 상처를 틀어막은 거즈 뭉치를 적시고 베드의 비닐 커버를 적시고 마룻바닥을 적신다.

간호사가 다시 달려 나가서 혈액병을 들고 돌아왔을 때 그 젊은이는 거의 의식을 잃어가고 있다. 수혈하기 위한 채비를 할 때 그 젊은이가 눈을 뜬다. 그리고 마지막 힘을 다해 옆 병상의 고등학생 부상자를 가리키며 간호사에게 말한다.

"피가 모자라다면서요? 저 학생한테 먼저 수혈해주세

요. 나는 나중에……."

"채혈 지원자가 많이 몰려왔어요. 피는 부족하지 않을 거예요."

"고맙군요. 어쨌든 저 학생부터 먼저……."

"그렇게 하라고 교과서에 쓰여 있던가요?"

"예. 그렇게 배웠어요."

젊은이는 미소하며 말한다. 간호사는 젊은이가 시키는 대로 고등학생의 팔에 주삿바늘을 꽂고 돌아와서 병상에 붙은 카드를 들여다본다. '김치호. 22세. 서울대학교 문리대 수학과 3년'이라고 쓰여 있다.

"김치호 씨는 이다음에 정확한 수학 교수님이 되겠어요."

그러나 김치호는 수학 교수가 되지 못한다. 그날 1960년 4월 19일 밤 10시에 영원히 뜨지 못할 눈을 감은 것이다. 아아, 4월―정직한 이들의 달이여!

잠 타령

사람에 따라 식성이 다르듯 잠자는 습성도 사람마다 조금씩 다른 모양이다. 가령 어떤 사람은 네 시간쯤 자고도 끄떡없지만 어떤 사람은 여덟 시간을 자고도 잠이 모자라서 쩔쩔맨다.

의학박사님들의 의견에 따르면 두뇌를 많이 사용하는 직업에 종사하는 사람일수록 수면 시간이 많이 필요하다는 것이다. 두뇌를 가장 많이 쓰는 직업은 무엇일까? 그야 자기 돈 한 푼 없이 남의 돈을 이리 돌리고 저리 끌어대며 계를 여러 개 하는 계 마담이지, 라고 해서는 안 되겠고, 그와 흡사한 것으로 정치가가 있다. 계 마담과 크게 다른 점이 있다면 책임의 막중함이다. 계 마담의 실수는 몇 사람의 재산에 피해를 주는 정도지만, 정치가의 실수는 수많은 사람의 목숨을 잃게 하는 수도 있다.

특히 모든 정치적 결정이 여러 사람이 충분히 토론한 결과라기보다 소수의 몇 사람에게 의존하는 일이 더 많은 체제일수록 실수의 결과는 더 참혹하다. 그뿐 아니라 실수의 빈도도 잦다. 그 좋은 예를 우리는 히틀러의 독일과 도조東條의 일본에서 본다.

여기서 나는 좀 엉뚱하게도 수면의 문제가 생각나는 것이다. 히틀러나 도조 또는 나폴레옹의 사진을 보고 있으면 이것은 틀림없이 수면 부족에 시달리는 사람 특유의 표정이다. 신경질적이고 배타적이고 거부적이고 자기보호 본능이 날카롭게 노출된 표정들이다. 가령 여덟 시간쯤 푹 자고 나면 일을 견딜 수 있는 체력을 가진 사람이 네 시간도 겨우 잤을까 말까 했을 때의 표정.

여기에 비하면 처칠이나 루스벨트의 표정은 퍽 여유 있어 보인다. 기록에 의하면 제2차 세계대전 당시 처칠의 하루 수면 시간도 충분한 것은 아니었으나 일의 부담은 히틀러에 비하면 퍽 적었던 것 같다. 충분히 잠을 자는 지도자가 맑은 정신으로 사리 판단해 전쟁에도 이긴다고 하면 지나친 농담일까?

농담 하나 더 하자면 얼마 전 우리나라 신문에까지 떠들썩했던 일본의 작가 미시마 유키오의 자살극도 잠과 밀접한 관계가 있는 것 같다. 이런 경우는 수면 부족이 아니라 수면 시간의 배정에 문제가 있는 것 같은데, 어느 신문 기사에 의하면 미시마의 하루 생활은 주로 낮에 자고 밤에 일하는 것이었다. 이런 생활은 사고를 명료하게 해주는 대신 단순화시키고 극단적으로 몰고 간다.

수년 동안 낮과 밤을 거꾸로 산 나의 경험에 의하면 그렇다. 명백한 것은 대개 단순하고 단순하면 행동하기 쉽다. 그리하여 미시마는 그토록 간단히 행동한 것 같은데, 낮의 생활이 주는 그 망설임, 타인의 시선이 자꾸 의식됨 등의 방해를 받았더라면 '생각 곧 행동'이 그렇게 간단하지는 않았을 것이다.

확실히 두뇌를 많이 사용하는 사람은 수면을 잘 쓸 줄 알아야 한다.

회사원과 매몰 광부

　어느 회사에 말단사원으로 있는 한 젊은이가 다음과 같은 애기를 했다.

　저는 이름을 대도 잘 모르실 서울의 어느 조그마한 회사에서 1만여 원의 월급을 받으며 일하는 사람입니다. 저역시 10여 일 전에 신문에서 구봉광산의 매몰 사고 기사를 읽었습니다만 솔직히 말씀드리자면 처음 그 기사를 대했을 때는 기사 제목만 읽고 으레 흔히 있는 광산의 매몰 사고려니, 따라서 광부 몇 명이 죽든지 아니면 2, 3일 후에는 구조되겠지 하는 식으로 간단히 생각해버렸습니다. 그리고 그날은 무심하게 지나쳐버렸습니다.
　난데없이 엉뚱한 얘기를 꺼낸다고 이상하게 생각하시겠지만 그 매몰 사고 기사를 읽던 날 저녁에 저는 같은 직장에 있는 친구의 소개로 한 처녀와 인사를 하게 됐습니다. 그날 저녁 저는 여자에게 좋은 인상을 주기 위해 명동에 있는 분에 넘치지만 값비싼 양식점에서 저녁을 먹고 여자와 영화 구경까지 하고 헤어졌습니다. 저는 그날 밤에는 마음씨 고와 보이는 그 여자를 생각하며 잠이 들었습니다.

그런데 다음 날 신문을 받아들자 잊어버리고 있던 광부의 매몰 사고에 관한 기사가 또 실려 있었습니다. 이번에도 별생각 없이 기사를 읽었습니다만 매몰된 광부가 다행히 살아 있다니 곧 구출되겠지 하는 정도로만 생각해버리고 곧 저는 그날 오후에 만나기로 한 여자를 생각하기 시작했습니다. 그날 오후에도 저는 앞날의 제 아내를 위해 분에 넘치는 음식을 먹고 남산을 드라이브했습니다. 저는 행복했습니다.

그런데 다음 날 또 저는 매몰 사고 기사를 신문에서 보아야 했습니다. 구출 작업의 진행이 신통찮은 모양이었습니다. 저는 이런 사고가 날 만큼 신통찮은 설비를 한 광주鑛主를 욕했고 다른 성급한 친구들은 매몰된 김창선 씨가 살아서 구출될 것이냐 아니냐로 내기를 하기 시작했습니다. 그리고 그것으로 또 저는 매몰 사고는 곧 잊어버리고 제 아내가 될 여자에 대해 생각하기 시작했습니다.

며칠 동안 저와 매몰된 김 씨와는 대강 그런 식의 관계였습니다만 그런데 어느 틈엔가 이상한 일이 일어나고 말았습니다. 김 씨가 벌써 열흘째 굶고 있다는 사실이 문득 제 배를 고프게 했고, 미8군에서 구조 작업을 도우러 갔다는 사실에 문득 제 낯이 뜨거워짐을 느꼈고, 김 씨가 죽을 것으로 단념하고 보상금을 자기 자식들의 교육비로 써달라고 유언했다는 기사를 읽었을 때는 울고 싶었고……. 저는 이상해졌습니다. 마치 저 자신이 그 답답한 갱 속에 파묻혀 있는 듯한 느낌이었습니다.

지금 저는 생각합니다. 한 사람의 생명에 사회 전체가 이토록 관심을 둔다는 사실을 알기 때문에 김 씨는 그 답답한 갱 속에서 사신死神과 싸우며 버티는 것이라고 말입니다. 그리고 우리 서로 생명을 지켜주지 않는다면 우리는 벌써 허무하게 죽어버렸을 것이라고 말입니다.

그 어두운 갱 속으로 그토록 악착스럽게 저를 떠밀어 넣은 신문을 욕하면서도 저는 그렇게 생각하는 것입니다.

원작을 가위질하는 뜻

요즘 많은 소설이 영화로 만들어진다. 10여 년 전, 아니 3, 4년 전까지만 하더라도 영화 제작사가 소설을 영화로 만드는 까닭은 흥행 수입을 올릴 수 있다는 데 있기보다는, 정부가 마련한 우수 영화 제작 장려제도에 맞춰 어떤 혜택을 받으려는 목적에 더 크게 있었다. 따라서 소설의 영화화를 상업적인 계산에서는 상당한 모험으로 여겨 제작을 꽤 망설이는 대신 소설을 선택하는 기준은 그의 문학적인 가치 또는 평가에 역점을 두었고, 되도록 원작을 충실히 영화로 옮기려고 애썼다. 어쩔 수 없이 소설에 없던 인물, 소설에 없던 이야기가 영화에 조심스럽게 들어가게 되는 까닭도 당국의 검열을 통과하기 위한 정도였다.

그런데 텔레비전이 온 나라에 보급된 뒤로 심한 불황에 빠져 있던 영화계에서 지난 1974년에 최인호 씨의 장편소설인 『별들의 고향』이, 그리고 1975년에 조선작 씨의 단편소설인 「영자의 전성시대」가 영화의 불황기 가운데서도 보기 드문 흥행 성공을 거두자 영화 제작사들은 이제 소설의 영화화는 오히려 상업적으로 안전하다고 생각하게 되었다. 그 대신 소설을 선택하는 기준을 철저히 상업적으로, 문학적인 평가보다는 내용의 상업성에 거의 절대적인 역점을 두고, 관객의 취향에 맞추기 위해서는 소설 내용을 대담하게 탈바꿈시키는 것도 마다하지 않았다.

원칙적인 이야기를 하자면, 소설을 원작으로 삼은 영화를 보는 재미는 독자들이 그 소설을 읽는 동안 자기 나름대로 상상한 장소, 인물 및 대사 따위를 영화에 맞춰보는 것이겠다. 『바람과 함께 사라지다』를 읽은 독자는 자기가 활자로 읽은 한 줄의 대사가 클라크 게이블의 입으로 유들유들하게 흘러나오는 데 기쁨을 느낀다. 『엑소더스』를 읽은 독자는 지도에서 한 줄의 선으로만 본 상상하기 힘든 키프로스 섬을 영화에서 마치 그곳에 와 있는 듯 볼 수 있음에 감동한다.

소설을 영화화하는 경우에 완벽한 영화적인 리듬이나 영상미는 이루지 못하더라도 원작을 충실히 묘사해주는 것이 원칙이다. 이 원칙은 소설을 영화로 만드는 또 하나의 목적, 곧 책은 잘 읽지 않지만 영화는 보는 수준 낮은 많은 대중에게 줄거리로나마 그 소설을 읽은 듯하게 해주는 목적에도 적용된다.

그러나 이 원칙이 우리 영화계에는 그다지 충실히 지켜지지 않았고, 더욱 지켜지지 않는 추세로 나아가고 있다. 앞서 말한 대로 첫째는 상업적인 계산에 따른 소설의 단순한 소재 처리와, 둘째는 정부의 폭이 좁은 검열 기준과, 셋째로 소설 독자의 숫자가 영화 관객으로서는 무시해도 될 만큼 적다는 것이 그 이유겠다.

지난 2월 초에 개봉된 영화 〈왕십리〉도 이런 추세에서 예외인 작품은 아니었다. 조해일 씨의 중편소설인 「왕십리」를 이희우 씨가 각색하고 임권택 씨가 연출한 이 영화는 원작 소설의 주제에 칭찬할 만큼 충실했으면서도, 또 내용 일부를 바꾸고 원작에 없는 일화를 끼워 넣고 마지막 부분은 아주 다르게 바꾸지 않을 수 없었다. 소설의 줄거리는 대체로 다음과 같다.

가난한 막벌이꾼의 딸인 정희를 사랑하던 대학생 민준태는 부모의 거센 반대로 그녀와의 결혼은 말할 나위도 없고 일하다가 다친 그녀 아버지의 치료비도 얻어내지 못하자 집에 불을 지른 뒤 밀항선을 타고 일본으로 건너간다. 일본의 암흑가에서 밀수와 폭력조직의 한 사람으로 목숨을 건 싸움 끝에 웬만큼 성공한 그는 14년 만에 귀국

해 가난하고 구질구질하지만 자기 청춘과 사랑의 추억을 담고 있어서 오히려 따뜻하고 인간미가 있는 마을 왕십리로 찾아온다. 옛날에 그의 청춘과 사랑이던 정희를 몹시 애타게 찾아보지만 그녀가 간 곳은 알 길이 없고 그 대신 그가 여관에 든 첫날밤에 만난 윤애에게 슬픈 구애의 호소를 받는다. 그는 겨우, 아는 사람의 부인이 된 정희를 만났고 이제는 청춘도 사랑도 돌이킬 수 없는 과거임을 확인한다. 차라리 창녀 윤애 속에 그가 사랑하는 왕십리가 있음을 느끼고 윤애와 살림을 시작하지만 동거 첫날밤에 그와 한 패거리가 되자고 했다가 거부당한 안경수의 부하들로부터 한꺼번에 공격을 받고 격투 끝에 목숨을 잃는다.

소설의 이 간략한 줄거리만 가지고 이야기하더라도 영화는 내용을 다음과 같이 바꾼다.

아버지의 유산 분배를 놓고 추잡한 집안싸움을 하는 가족들에게 환멸을 느낀 준태는 자기 재산을 모두 포기하고 일본으로 갔다가 14년 만에 서울로 돌아온다. 그의 청춘과 사랑인 정희를 겨우 찾고 보니 배다른 아이를 셋씩이나 둔 사기꾼이 되어 있다. 사랑한 과거를 이용해 준태에게서 아이들과 먹고살 돈을 훔쳐내는 불행한 여자가 되어 있다. 한편 준태를 자기와 같은 가난하고 불행한 처지인 줄로 알고 결혼하자던 창녀 윤애는 준태가 돈 많은 사내인 줄 알자 자기와 어울릴 수 없는 신분이라고 울면서 그를 떠나 고향으로 돌아간다. 일본에서 그를 데리러 온 암흑가의 동료들을 때려서 쫓아 보내고 그는 비록 많이 변했지만 따뜻한 우정은 아직 남아 있는 새로운 왕십리에서 인생을 새로 시작하겠다고 마음먹는다.

　여기서 우리는 소설을 영화화하는 고충을 충분히 엿볼 수 있다. 원작에 나오는 불을 지르는 장면과 일본에서의 폭력 행위 따위를 영화에서 피해간 것은 영화 검열을 통과할 수 없기 때문이고 정희를 과거의 아름답던 애인에서 추한 사기꾼으로, 그러나 아이들과 함께 먹고살기 위한 진실을 가진 동정할 만한 여인으로 극적인 몸 바꿈을 한 것은 말할 것도 없이 원작이 이야기하고자 하는 '잃어버린 과거'라는 뜻에 맞추면서도 영화 관객들에게 충격을 주고 그들에게서 감동을 끌어내려는 상업영화다운 계산 때문에서였겠다.

　마지막에 준태와 창녀 윤애를 결합하지 않고 또 준태를 폭력의 세계에 지지 않고 싸워서 이겨 새로운 정착민으로 탄생시키는 것은 밝고 진취적인 해결을 권장하는 검열 당국과 도덕적인 모험을 피하고 마다하는 영화 대중 특유의 도덕 감정 그 두 쪽을 모두 의식한 결과의 왜곡이겠다.

현재 한국 영화 제작 실정의 어쩔 수 없는 요소를 생각한다면 요즘 만들어져 상영된 많은 원작이 있는 영화들 가운데 〈왕십리〉는 그런대로 원작에 충실한 영화라고 할 수 있다.

주머니를 털어서 술을 사는 친구들이 있고, 이루어지지 않은 가난한 애인이 있고, 여관과 다방과 당구장들이 한데 엉겨 붙어 있는 낡은 건물이 있고, 모퉁이를 돌아서면 푸줏간이 있고, 내버려둔 것 같은 시커먼 저탄상이 있고…… 찌들었으나 지치지 않는 삶의 장소, 그것은 확실히 고향의 모습이다. 「왕십리」는 우리가 한 번은 탈출하듯 떠났다가 어느 때인가는 가슴 터질 듯한 그리움을 안고 돌아와서 그 변한 모습을 샅샅이 마주해야 하는 바로 우리의 고향, 그 고향 사람들의 이야기다.

이러한 소설 「왕십리」의 주제를 영화는 고스란히 간직하고 있다. 부분적으로는 비록 원작에 없는 일화지만 원작의 주제를 최대한 살리면서 영화로도 뚜렷하게 성공했다. 가령 김영애가 맡은 정희가 돌이킬 수 없는 사랑에 대한 회한과 욕된 현실에 대한 증오와 앞으로의 삶을 무겁지만 온몸으로 받아들이려는 각오로 춘근에게 앙칼지게 달려드는 새벽 광장에서의 장면은 세련된 연출과 함께 오래오래 기억해두고 싶은 장면이다.

아쉬운 점이 있다면, 원작이 애써 표현해준 왕십리 고유의 풍정들, 근대화에 밀려나버린 서툴고 초라해서 오히려 우리 가슴속에 오래오래 살아 있는 고향의 모습으로서의 옛 왕십리 풍정들을 기대한 만큼은 볼 수 없었다는 점이다. 그러나 엄청난 경비를 들여서 그 풍정을 되살리는 것을 빈약한 한국 영화 자본에 기대하기란 실제로 불가능하다. 얼마 동안 우리는 소설을 이만큼이라도 충실히 영화화한 작품은 만나보기 힘들지 모른다.

고향의 봄

　순천의 겨울은 바람의 계절이다. 눈도 그다지 많이 내리지 않고 얼음도 두껍게 얼 줄 모르는 순천의 겨울은 멀리 지리산 쪽에서 불어 내려치는 찬바람만으로 황량하다. '오리정 아이들'은 '오리정 바람' 속에서, '장대 아이들'은 '장대 바람' 속에서 연을 날리거나 흙먼지를 뒤집어쓰며 '북데기 싸움'을 하며 겨울을 난다. 서울에서 발간되는 어린이 잡지에 예쁘게 인쇄된 눈사람이나 스케이팅하는 모습은 순천의 아이들에게는 먼 나라의 동화 같다. 밤새도록 문풍지를 울리는 세찬 바람뿐인 겨울은 순천의 아이들에게 인생의 가없는 허망을 느끼게 한다.

　그러나 문득 어느 날 동천의 겨우내 메말랐던 자갈밭에 물기가 어리고 이윽고 북쪽 산간지방에서 눈 녹은 물이 유리처럼 맑게 흐르고 그 물가에서 어머니들의 빨랫방

망이 소리가 산뜻하게 울려오고, 탱자나무 골목길이 질퍽거리고, '해창' 넓은 들 너머에서 소녀의 입김 같은 바람이 간들대며 불어오고, 장날 모여드는 두멧사람들의 짐 위에 진달래가 만발하고……

또 이윽고 동천 방죽, 죽두봉산, 수원지, '순고順高' '농전農專' '여고女高'의 교정 벚꽃이 꿈 바로 그것의 빛깔인 듯 아련히 번져가고 '매산梅山 등' 숲이 해맑은 연둣빛으로 살랑대고, 한 뼘쯤 자란 보리밭의 기나긴 이랑들이 술취한 아버지처럼 후끈후끈 단내를 뿜어내고 그 하늘 구름 속에서 종달새들이 장난질 치면, 그래 그렇다, 순천은 바야흐로 다시 봄인 것이다. 그리고 다시, 순천의 인생은 봄철의 밥상에 오르는 '정어리 찌개'처럼 비린내 나지만 참 맛있는 것이다.

크리스마스 청춘

크리스마스는 겨울의 꽃불놀이라고나 할까. 꽃불처럼 화사하고 또 그것처럼 허전하다.

백화점들은 크리스마스를 독점해 사람들의 약점을 실컷 주물러버린다. 산타클로스조차도 이제는 거대한 괴물 같다. 우리 편이 아닌 백화점 편의 괴물. 처음부터 어쩐지 수상하더라니. 산타 영감이 입은 옷이며 모자며 구두가 꽤 비싸 보이던 것 말이다. 이 거리를 넘쳐 휩쓰는 화려하고 거대한 괴물 앞에서 가난한 젊은이들은 무서워 부들부들 떨며 서로서로 의지하기 위해 부둥켜안는다.

크리스마스이브에 젊은이들의 탈선을 나무라지만 말아다오. 무서워 부둥켜안다 보니 그렇게 된 걸. 주고받을 선물은 알몸뿐인 걸.

내 고향의 추석

우리네 명절날이란 게 대체로 살아 있는 사람의 명절이 아니라 죽은 사람의 명절이듯 내 고향 순천의 추석도 제사 지내고 성묘 다니기가 바쁘다. 그렇더라도 내가 그곳에서 국민학생이던 무렵에는 한가위 밝은 달빛 아래 밤새도록 농악패의 흥겨운 소음이 들려오곤 했는데, 제법 근대화가 됐다는 것일까, 차츰 그런 명절 분위기도 없어져 버리고 골목에서 애들이 화약 놀이하는 소리, 문 닫아버린 중국집, 성묘 다녀오는 사람들의 술 취한 비틀걸음 정도에서나 명절 기분을 느낄 뿐이다.

겨우 추석날에나 한 번 성묘 핑계로 가 보는 너무나 조용한 명절의 고향 거리에서 친구와 기껏 술타령이나 하노라면 뭔가 잘못된 것 같아 가슴이 답답해지고 문득 다음 추석에는 서울에 사는 고향 친구들과 농악패를 꾸며 내려와 하나씨(할아버지) 할매(할머니) 탈을 쓰고 장죽을 지휘봉 삼고 어깨춤 추는 앞잡이 따라 깽깽깽(꽹과리) 깨갱갱, 징 소리 지잉징, 내 어린 시절 동네 청년들이 해주듯 집집이 한 마당씩 돌아주고 다니며 고향 어린이들을 신나게 해주고 싶어진다만……

신년 편지

이휘영 선생님께

추이 연초에 선생님께 어리광이나 부려야겠군요. 연하장에 괴상한 '추이' 따위를 붙이는 것도 선생님 앞에서는 근하신년 운운의 형식적인 인사치레가 스스로 낯간지러워서지요. 저희 나이에서 생각해보면 연하장이란 아무래도 가볍고 유쾌한 기분으로 주고받아야지(예컨대 선생님처럼 점잖으신 분 앞에서 버릇없는 농담을 계획하는 저처럼 말이지요) 괜히 엄숙하게 근하 어쩌고 하는 구투는, 이크 또 답답한 한 해가 시작되는구나 하는 느낌을 주지 않습니까, 선생님?

우리나라 사람은 쓸데없이 점잖고 빈틈이 없어서 남의 눈치 보는 데는 선수가 되어버린 듯한데 새해 첫날만이라도 안 그랬으면 좋겠다고 생각합니다. 추이 같은 것도 빈

169

틈없는 사람들은 도저히 생각지 못할 서식이지요. 얼싸덜싸 들뜬 마음으로 편지를 쓰다가 아차 빠뜨려먹었구나 하고 쓰는 게 추이가 아닙니까? 하긴 저처럼 계획적으로 추이를 쓰는 놈은 실로 가증스러우시겠지만, 정월 초하루이니 선생님, 웃고 넘겨주세요.

새해에는 새로운 포부들을 얘기할 수 있어야 한다고 흔히들 말하는데 저도 정신 잃은 체하고 선생님께 새로운 제안이나 하나 말씀드릴까요? 저는 선생님의 성격에 불만이 있습니다. 물론 저희에게 늘 잘해주시지만 한계를 두시는 것 같습니다. 선생님과 저희 사이에 어떤 금을 그어놓고 선생님께서 금 밖으로 나오셔서 저희를 대하시니, 저희를 금 안으로 들어가게 하지는 않으시는군요. 그래서 선생님을 존경함에도 가까이하지 못하는 친구들을 가끔 봅니다만 그럴 때는 퍽 안타까운 생각이 듭니다.

커다란 대문에 손바닥만 한 쪽문을 만들어놓고 그 틈으로 얼굴만 빠끔히 내밀고 밖에 선 사람과 얘기를 주고받는 소시민적인 성격은 대문 밖에 선 사람을 무척 고독하게 합니다. 대문을 활짝 열고, 때로는 자기 실수도 보이는 사람은 상대편에게 얼마나 큰 친밀감을 주는지요!

선생님, 죄송합니다. 어리광을 핑계로 사상 유례없이

버릇없는 연하장이 돼버렸습니다만 선생님을 따르는 제자가 새해 기분에 들뜬 나머지 불쑥 튀어나온 얘기이니 너그럽게 용서하시기 바랍니다.

저는 요즘 일본의 작가 다자이 오사무에게 빠져 있습니다. 대단히 아름다운 친구인 듯합니다. 번역된 그 사람의 소설을 두 편 읽었는데 반해버렸습니다. 당분간 그 사람 밑에서 숨도 크게 못 쉴 듯합니다. 지드도 다시 한 번, 그리고 카뮈도 도스토예프스키도 다시 한 번 만나봐야겠습니다.

하도 날쌘 사람들이 많아서 모두 다 얘기해버린 듯해 저는 무슨 말을 해야 좋을지 몰라 입만 쩍 벌리고 있다가 죽어버릴 것 같은 생각이 문득문득 들어서 몸서리를 칩니다. 선생님, 도와주십시오.

새해에도 부디 건강한 모습으로 강의실에 나와주시기를 빌겠습니다. 방학이 끝나면 캠퍼스에서 뵙겠습니다. 안녕히 계십시오. 새해를 맞아 댁내에 평안 있으시기를.

이 글은 1963년 1월 1일 경향신문의 기획으로

'사제 간의 신년 편지'를 위해 쓴 것임.

색채와 나

국민학교에도 들어가기 전이니까 예닐곱 살 때 우리 집에 팔레트와 수채화용 붓이 몇 개 굴러다녔다. 지금 생각하면 아마 어머니나 아버지가 학생 시절에 쓰던 것인 모양이다. 팔레트에는 수채화 물감이 딱딱하게 굳어 붙어 있었다. 나는 그 딱딱하게 굳어 있는 물감으로 엎드려서 그림을 그리곤 했다. 지금도 생생하게 기억나지만 그림은 항상 한 가지였다. 처마 밑에 붕어 모양의 풍경이 매달려 있고 아치형의 문이 있고 계단이 있는 집 한 채였다. 그 무렵 나는 어른들이 저녁 식사 후 노래를 시키면 '성불사 깊은 밤에 그윽한 풍경 소리'를 부르곤 했는데 그 그림을 그려놓고 어른들에게 보이며 "이것이 성불사다"고 하곤 했다. 실제로 그 그림을 그리는 동안 나는 짤랑거리는 풍경 소리, 솔바람 소리 등을 듣는 것 같곤 했다.

그림은 어두운 색채들로 그렸다. 굳어버린 물감을 물붓으로 마구 문질러 겨우 색채를 얻어냈고 이 색 저 색 아무렇게나 뒤섞었으니 혼탁한 색깔일 것은 뻔했다. 그러나 '깊은 밤의 성불사'를 그리기에는 안성맞춤이었다. 아니 그렇게 혼탁한 색깔밖에 쓸 줄 몰랐으므로 그 어둡게 그린 그림을 놓고 '성불사 깊은 밤'이라고 발라맞췄던 것 같다. 어떻든 그 나이의 나에게서 물감이 나타내는 색채의 세계란 어둠을 표현하기에나 적당한 것이었다. 밝고 맑은 갖가지 풍부한 색채는 햇빛에 드러난 현실의 모든 사물에만 충만해 있었다. 나중에 국민학교에 들어가서 크레용을 처음으로 샀을 때 나는 그 열두 가지로 확실하게 구별되어 있고 서로 섞여 색깔이 혼탁해지지 않는 물감이 몹시 신기했다.

요즘 동네에서 화판과 크레파스를 든 어린이들이 미술학원을 오가는 모습을 보면 나는 문득 '성불사'를 그리던 내 모습과 물감에 의한 색채의 세계에 대해 그 무렵 내가 느끼던 것들이 파편으로나마 기억나곤 한다.

그림을 정식으로 배우기 시작한 것은 국민학교 4학년 때부터였다. '정식으로'라는 말이 우습지만 어쨌든 석고 데생이나 보색, 색의 명도, 심지어 인상파의 이론 따위까지 나한테 가르쳐준 선생님을 만났다.

신경청 선생님이 그분인데 당시 정확한 연세는 모르겠으나 어린 나한테는 할아버지처럼 보였다. 제주도 분인데 일본에서 미술대학을 나오셨고 나중에 안 사실이지만 사상 관계로 제주도에서 살 수 없어 친구인 우리 학교 교장 선생님께 와서 의탁하고 계셨다. 다른 선생님들처럼 매일 학교에 출근은 하셨으나 하시는 일은 학교 복도에 붙이는 교육용 도표나 그리고 학생들의 미술대회나 주관하시고 다른 선생님들께 미술 지도나 하시는 것 이었다. 그러고도 많이 남는 시간에는 화구를 들고 학교 부근의 들이나 산으로 다니며 풍경화를 그리시곤 했는데 말하자면 나는 그 선생님께 선택되어 신선 옆에 붙어 다니는 동자처럼 항상 붙어 다니며 그림을 배웠던 것이다. 담임선생님도 내가 화판을 들고 슬그머니 교실 뒷문으로 나가면 으레 신 선생님하고 그림 그리러 야외로 나가는 줄 알아주시곤 했다.

야외로 나가면 그분은 이젤을 세워놓고 유화를 그리시고 나는 그분이 잡아준 구도의 풍경을 수채로 그렸다. 웃으시면 주름투성이가 되는 긴 얼굴, 큰 키, 큰 손발, 유도가 3단이라는 그분이 어린애처럼 콧물이 입술까지 흘러내린 채 담배를 문 입으로 "눈을 가늘게 뜨고 봐라" "저 초가지붕의 색을 내려면 이 색하고 이 색하고 섞어봐라" "검은색하고 흰색은 써서는 안 된다. 색을 만들어 써라" "붓에 물을 듬뿍 찍어라" 등등 가르쳐주시던 모습이 지금도 눈에 선하다. 어느 때는 황토 언덕의 그 얼핏 봐서는 주황색 하나뿐인 듯하나 자세히 보면 자주색·갈색·보라색·붉은색 등등 갖가지 색채로 이루어진 풍경을 앞에 놓고 그 색채들을 제대로 켄트지 위에 나타내는 데 하루를 몽땅 바쳐버리기도 했다.

내가 물감이 나타내는 색채의 세계로 들어간 것은 이 무렵부터였다. 현실의 모든 색채는 붓끝에서 물감에 의해 발가벗겨지고 분해되고 재구성되었으며 그렇게 하여 이루어진 색채의 세계—그림은 이미 다른 현실, 현실보다 더 아름다운 경이의 다른 세계였다. 그리하여 이제 막 튜브에서 짜낸 연두색의 수채화 물감의 그 영롱한 색채만 있으면 나는 한겨울에도 봄의 그 산뜻한 숲과 훈훈한 바람을 느꼈고 그늘진 흙담의 좁은 골목도 내 의식에는 개선되어야 할 불쌍한 빈민가의 골목으로서가 아니라 켄트지 위에 옮겨놓고 싶은 한 폭의 아름다움으로 분해되는 것이었다.

그렇다. 색채의 아름다움에 눈이 길든 사람들은 알리라. 이제 막 페인트칠을 끝낸 깨끗하고 질서정연하고 살기 편리해 보이는 고급 주택가에서보다도 녹슨 함석지붕이 너덜대고 얼룩덜룩 썩은 판자벽 군데군데 지저분한 물웅덩이가 패어 있고 집들이 제멋대로 들숭날숭, 갖가지 빨래들이 널려 있는 빈민가의 풍경 속에서 나는 더 아름다움을 느낀다. 전동차가 달리는 깨끗한 지하철에서보다 잡초가 우거지고 녹슨 레일이 꾸불꾸불 버려져 있고 검은 침목 더미가 쌓여 있는 황폐한 폐역에서 더 아름다운 세계를 만나 감동한다.

이상한 일이다. 부패와 무질서 속에서 색채들은 더 풍요하고 색채가 펼치는 깊은 감동의 세계를 알아보는 눈을 가진 자에게는 단조로운 질서가 오히려 추악해 보인다는 것은 참으로 이상한 일이다.

나는 때때로 내가 남들의 눈에는 아무렇지 않거나 역겨워 보이는 풍경에서도 아름답게 분해되어 재구성되는 경이적인 풍경을 볼 수 있는 풍요한 삶을 얻은 대신 사회인으로서 도덕적인 분노의 능력은 마비되는 것이 아닌가 스스로 염려한다. 미의 세계를 얻은 대신 도덕의 세계를 잃었다면 결코 풍요한 삶은 아닐 것이기에.

싫을 때는 싫다고 하라

올봄에도 수많은 젊은이가 전국 각 지방에서 서울이나 부산 등 대도회지로 몰려들 것이다. 대부분이 진학이나 취직을 위해서일 것은 말할 것도 없다. 내 경험에 비춰볼 때 그들이 대도회 생활을 시작하면서 겪게 될 가장 큰 어려움은 습성과 사고방식의 차이라는 문화적 차이일 것이다. 라디오나 텔레비전 수상기가 전국적으로 보급되어 서울과 지방 사이의 문화적인 격차가 많이 줄었다고들 하지만 한 인간의 습성과 사고방식 형성에 작용하는 대도시와 지방의 문화적 차이는 아직도 크다. 나 역시 이제는 서울 생활의 기간이 지방에서 자라던 기간보다 더 길어졌는데도 여전히 지방적인 사고방식 때문에 서울 생활에서는 실패투성이다.

서울 생활을 실패로 만드는 나의 지방인적 사고방식의

대표적인 것은 '대답이 분명하지 않은 것'이다. 특히 '싫다'거나 '못 하겠다'는 거절의 대답을 '야박한 것 같아서' 못 하는 것이다. 야박한 것 같아서 싫다고는 못 했지만 사실은 싫으니까 마지못해 끌려가다 보면 일이 제대로 될 리가 없고 나중에는 그 일에서 벗어나기 위해서 아예 '싫다'는 대답을 했던 것만도 못한 끔찍한 일을 저질러버리기에 십상인 것이다.

1960년 3월, 스무 살 때 나는 대학교에 입학하게 되어 학교 근처에 자취방을 구하러 다녔다. 그러나 지방 학생들이 많이 몰려든 때고, 주택 사정도 오늘날과는 비할 수 없이 좋지 않은 때여서 학교가 있는 동숭동 바로 근처에서는 도저히 방을 구할 수 없었다.

많은 복덕방을 들락거린 끝에 겨우 내 예산과 맞는 6만 환짜리 방을 구했다. 돈암동 전차 종점 부근의 낡고 비좁은 한옥 구석방이었다. 영영 방을 못 구할 것 같아서 애가 타 있던 중이라서 나는 주인 할머니가 방문을 잠깐 열어 보이는 방 안을 흘깃 들여다보기만 하고 나서 창문이 없어 대낮에도 전등을 켜야만 할 만큼 캄캄한 것이 마음에 걸렸지만 '어디 고향 집과 같겠느냐, 이나마도 놓치면 안 된다'고 자신을 달래며 얼른 할머니 손에 방값을 전부 쥐여주고 짐을 가지러 나왔다.

그런데 선배의 하숙방에 맡겨두었던 내 책상이니 책 상
자니 이불 보따리 등 적지 않은 짐을 손수레에 실어 내 서
울 생활이 시작될 그 방으로 돌아와 불을 켜보니 아, 이를
어쩌랴, 습기가 찰 대로 차서 축축한 장판 가득히 곰팡이
가 파랗게 피어 있고 천장은 빗물과 쥐 오줌으로 얼룩이
져 축 늘어져 있고 구멍이 뻥뻥 뚫려 있는 게 아닌가! 장
판 모서리들도 다 들떠 있어서 연탄만 때는 날에는 나는
그대로 저승으로 가고 말 것 같았다.

　'어디 고향 집과 같겠는가!' 또 한 번 억지로 자신을 달
래며 걸레질을 시작했으나 곰팡이는 벗겨질 줄 모르고 그
퀴퀴한 냄새 때문에 나는 구역질을 참을 수 없었다. '이건
방이 아니다. 시골 우리 집의 돼지우리도 이보다는 밝고
깨끗하다.' 나는 걸레질도 그만둬버리고 아직 풀지 않은
짐 보퉁이에 기대어 너무 외롭고 슬퍼서 멍하니 앉아 있
었다. 방이란 것도 사람과 비슷해서 한 번 정나미가 떨어
지면 도저히 참을 수가 없는 모양이다.

　'구하러 다니면 어딘가 이보다는 나은 방이 있겠지.' 어
느 틈에 나는 그런 생각을 하고 있었다. 다시 선배의 하숙
방으로 짐을 옮겨놓고 며칠이 걸리더라도 그리고 버스를
타고 다녀야 할 만큼 학교에서 멀더라도 하여튼 이보다는
나은 방으로 옮겨야겠다고 결심은 했지만 막상 주인 할머

니에게 '이 방이 싫어서 나가겠으니 방값을 돌려주세요' 라고 말할 용기는 도저히 나지 않았다. 방값을 받으며 기뻐하던 할머니의 표정이 생생하게 떠올랐기 때문이었다. '야박하게 어떻게 이 방이 싫으니까 나가겠다고 해? 다른 방을 구했다고 할까? 그래도 한번 받은 돈을 돌려주려면 할머니 가슴은 얼마나 아플까! 내가 참고 말까? 아이고, 하지만 이 곰팡내…….' 그런 생각을 되씹고 있다가 문득 나는 할머니가 하던 말이 생각났다. "학생, 담배 피우나?" "아니요." 사실 나는 아직 담배를 피울 줄 모를 때였다. "담배 피우는 사람한테는 방 안 줘. 담뱃불 때문에 집을 두 번씩이나 불태워버린 일이 있거든."

나는 뛰쳐나가서 담배와 성냥을 사서 돌아와 피울 줄도 모르는 담배를 캑캑거리며 계속해서 피워댔다. 그러면서 불도 끄지 않은 꽁초를 할머니가 볼 수 있도록 방문 밖 마당으로 자꾸 던졌다. 나는 담배 피울 줄 모른다고 할머니에게 거짓말한 나쁜 젊은이로서 할머니한테 쫓겨날 작정을 한 것이었다. 그 결과는 당장 성공적이었다.

"방값을 몇십만 환을 준대도 자네 같은 사람은 둘 수 없어. 어서 나가."

지금 돌이켜보면 참으로 부끄러운 기억이다. 그 할머니께 자기 집 방이 거부당했다는 섭섭한 느낌은 주지 않앗을지 모르지만 나 자신은 어떻게 되었단 말인가? 교활한 꾀를 내고 말았고 남에게 나쁜 놈이라는 인상을 주고 말았다. 나는 그 방이 싫은 이유를 떳떳이 말하고 아무 죄의식 없이 그 집을 나와야 했을 것이다. 아마 할머니도 그 방의 나쁜 점을 인정했을 것이고, 적어도 방을, 비용이 좀 들더라도 깨끗이 단장해야겠다는 생각을 했을 게 아닌가!

얼마 전에 우리 집에서 가정부 일을 하던 지방 출신 처녀가 새벽에 도망가버린 일이 있다. 나중에 이웃집 가정부로부터 얘기를 들으니 월급을 더 많이 주는 집으로 가겠다고 하더란다. 그 애는 아마 오랫동안 함께 지낸 우리 식구들에게 섭섭한 느낌을 주지 않기 위해 자기가 나쁜 년이 되기로 작정했으리라고 나는 내 경험에 비춰 짐작하며 화를 내는 아내를 달랬다.

그렇다. 이번 봄부터 서울에서 살게 된 착하고 착한 지방 출신 젊은이들이여, 그 착함 때문에 자기가 나쁜 역할을 맡기로 결정해서는 안 된다. 서울에서의 선善이란 자기 의견을 솔직히 말하는 것이다. 상대편에게도 피해를 주지 않고 자기 자신도 피해를 보지 않는 7백 수십만의 서울 사람과 어울려 사는 최선의 미덕은 싫을 때는 싫다고 말하는 것임을 이 못난 선배는 당부한다.

4부

어린 시절의 두 가지 이야기

미운 사람 앞에서 웃고

저는 외갓집에서 태어났습니다. 제가 세상에 태어날 무렵은 외할아버지께서 일본 오사카의 한 귀퉁이에서 주로 한인을 상대로 하는 한약방을 벌려 제법 이름을 얻은 뒤였다고 합니다. 남들은 두 살 때의 일도 기억한다고 합니다만 저는 네 살 때 그곳을 떠났으면서도 그곳에 대한 기억이 전연 없습니다. 있다면 우리가 살던 집이 2층 목조 건물이었다는 정도인데, 그것도 저의 확실한 기억이라기보다는 자라면서 어머니나 외할머님으로부터— 두 분은 그곳에서 살던 때를 아주 그리워하십니다 —늘 들었으므로 자연히 저의 상상이 기억처럼 착각되는 것인지도 모릅니다.

사실은 외할아버지의 얼굴도 기억에 남아 있지 않습니다. 태평양전쟁 말기에 폭격이 심해져서 그곳의 모든 것을 정리하고 진도로 옮겼는데 외할아버지께서는 그때까지도 살아 계셨으니까 아마 제가 다섯 살이던 때일 텐데 그런데도 외할아버지에 대한 기억이 전연 없습니다. 사진을 보면 금테 안경을 쓰고 콧수염을 기르고 귀와 입이 부처님처럼 생겼고 눈이 크고 매서운 영감님이셨던 모양인데 저의 기억에는 그중 하나도 남아 있는 게 없습니다.

제가 태어난 것은—저에 대한 시시껄렁한 얘기를 늘어놓는 것을 용서하시기 바랍니다. 자기 자신의 어린 날을 누구에게 얘기한다는 것은 때로는 참 즐거운 일 중 하나니까요—동경에 유학 중이던 김 아무개라는 대학생이 대판에서 한약방을 경영하는 윤약국—제 외할아버지를 사람들은 그렇게 불렀다고들 합니다—의 딸, 소학교와 고등학교를 일본에서 마친, 말하자면 일본 여자가 다되어 있는 처녀와 중매결혼을 한 결과로서였습니다. 제가 태어난 후까지도 제 아버님은 대학생복을 입어야 했던 처지였는지, 아니면 귀염둥이 외딸을 좀 더 오래 집에 붙잡아두고 싶어 하신 외조부모님들의 마음씨에서였는지 모르지만, 아니 어쩌면 그 두 가지 이유가 한꺼번에 있어서였는지 모르지만, 요컨대 저는 네 살 때까지 아버지 쪽 사람들의 얼굴은 구경도 못 하고 외갓집에서 자랐다고 합니다.

쓸데없는 얘기는 그만하고 본론으로 들어가겠습니다.

저는 지금은 퍽 얌전해졌지만—이건 제 어머니의 의견입니다—어렸을 때는 형편없는 개구쟁이였던 모양입니다. 이제 겨우 달음박질이나 할 수 있을 무렵에는 약방 앞길에 오가는 덩치 큰 아이들을 괜히 건드려서 얻어맞곤 했답니다. 손가락으로 문구멍을 뚫어놓거나 온 방바닥에 낙서하는 것은 어느 아이나 다 하는 짓이라고 하더라도 저를 보살피는 사람에게 제일 질색인 것은 말도 아직 잘할 줄 모르는 아기가 먼 거리까지 가서 길을 잃어버리고 울며 헤매는 짓을 하는 것과 약재를 넣어두는 서랍들을 이것저것 함부로 빼서 약재들을 뒤섞어버리는 짓을 하는 것이었다고 합니다.

외할아버지께서는 친손자보다도 외손자인 저를 더 귀여워하셔서 될 수 있는 대로 곁에 두려고 하셨다는데 그러나 약재 서랍을 이것저것 함부로 빼서 그 내용물들을 섞어버리는 데는 아주 질색이셨던 모양입니다. 그럴 때마다 저를 방바닥에 엎드리게 해놓고 손바닥으로 저의 궁둥이를 때리곤 하셨는데 그러면 저는 앙앙 큰 소리로 울어 댔다는 것입니다. 지금도 저는 엄살이 좀 센 편인데 어렸을 때는 더욱 심했을 테니 그 녀석의 울음소리가 얼마나 컸으리라는 것은 짐작할 만합니다.

그렇게 죽는시늉으로 울던 녀석이, 그러나 외할아버지

께서 변소에 가시기 위해 자리에서 일어나시면 자기도 후다닥 자리에서 일어나서 주먹으로 눈물을 훔치며 방문을 열고 복도로 뛰어나가 변소까지 가는 도중에 있는 문이란 문은 달려가며 모두 열어놓았다고 합니다. 외할아버지께서는 심한 중풍으로 한 쪽 다리가 부자유스러우셨다고 하는데― 외할아버지께서는 결국 그 병으로 돌아가셨다고 합니다―그런 외할아버지를 위해 그 꼬마 녀석은 평소 외할아버지께서 변소에 가실 때는 항상 외할아버지의 방에서 변소에 이르는 도중에 있는 많은 문들을― 일본식 주택에는 문이 많습니다― 외할아버지를 앞장서 달려가며 열어놓아 드리곤 한 것입니다. 그랬으므로 외할아버지께서는 변소에 가실 필요가 생기실 때는 항상 "쓰루짱!"―저의 어렸을 때 이름은 학길鶴吉입니다― 하고 저를 부르시곤 하셨다는데 매를 맞고 제가 울 때는 아무 말씀도 안 하시고 자리에서 일어나셨다는 것입니다. 그러면 그 꼬마는 얼른 울음을 그치고 문을 열며 달리기를 시작했다는 것입니다. 그러는 저를 보며 외할아버지께서는 눈물을 질금질금 흘리시며 웃으셨다는데 아마 그 꼬마가 몹시 귀여워서였겠지요. 외손자와 외할아버지 사이에 생긴 작은 불화는 그런 식으로 끝났다고 합니다.

이 얘기를 저의 외할머님이나 어머님께서는 지금도 가

끔 하시는데 아마 '어렸을 때 너는 그렇게도 귀여운 아이였다'는 뜻에서 하시는 듯합니다. 그러나 저는 그 얘기를 들을 때마다 소름이 오싹오싹 끼치는 것을 느낍니다.

이따금 저는 저를 이루는 나쁜 축軸들에 대해 생각해보곤 하는데, 제가 방금 들려드린 얘기 속에서 끄집어낼 수 있는 축이야말로 제법 장성한 지금도 저를 이루는 못된 축이 아닌가 하는 생각입니다. 물론 그 얘기는 얼핏 들으면 다소 사랑스러운 얘기일 것입니다. 서너 살 된 아이가 할아버지에게 매를 맞고 운다, 한 쪽 다리가 부자유스러운 할아버지가 변소에 가시려고 자리에서 일어나신다, 아이는 얼른 울음을 그치고 할아버지께서 변소 가시는 길이 편하도록 할아버지를 앞장서 달리며 문들을 열어놓는다. 얼핏 들으면 괜찮은 얘기입니다. 또는 그 아이가 남이라면 그저 아무렇지 않게 그 얘기를 들어버리고 말겠습니다. 그러나 그 아이가 바로 저였다는 게 저는 몹시 싫은 기분입니다.

영리함 또는 약삭빠름. 그 얘기에서 끌어낼 수 있는 것은 그 아이의 놀랄 만한 계산입니다. 할아버지의 마음에 다시 드는 방법을 그 아이는 재빨리 발견한 것입니다. 왜 계속해서 울고 앉아 있지 않았느냐, 이 여우야, 하고 저는 어린 날의 저를 향해 욕해주고 싶은 심정입니다. 왜냐하면 약삭빠름이라고밖에 표현할 수 없는 그 나쁜 축이 오늘의 제 속에 자리 잡고 있기 때문입니다. 밖으로 나타나는 형태가 바뀐 것뿐입니다.

예컨대 저는 저를 고맙고 다정하게 대해주는 사람들에게는 어쩐 일인지 서먹서먹하게 굴거나 무례하게 굽니다. 오히려 제가 미워하거나 싫어하는 사람들에게는 고분고분하게 굴거나 저와의 관계에서는 항상 그쪽에 이익이 돌아가도록 일 처리를 해버립니다. 홀로 있을 때면 저는 그 두 종류의 사람들과 동시에 그들을 대하는 저를 생각하곤 하는데, 그들을 대하는 저의 태도가 뒤바뀌어 있음을 분명히 깨닫고 저 자신에 대하여 울화가 치밀지만 영 고쳐지지 않습니다. 그런 태도의 뒤바뀜을 일컬어 '노예근성'이라고는 안 하는지 무섭습니다.

다만 한 가지 저의 무기를 언젠가 고등학교 선배 한 분이 제게 깨닫게 해주었습니다. "승옥이 네 웃음은 조금도 좋아서 웃는 웃음이 아니다. 네가 웃는 것을 보고 있으면 이쪽이 괜히 기분이 나빠"라고 그 선배는 말했던 것입니다. 그러고 보면 저는 좋아하는 사람 앞에서보다는 싫어하는 사람 앞에서 더 많이 웃었던 것 같습니다. 무기, 그러나 얼마나 힘없는 무기입니까! 요즘 그리고 앞으로 제가 대하는 사람들은 기분이 좀 나빠졌다고 해서 제게서

189

빼앗을 수 있는 자기들의 이익을 포기해버릴 바보들이 결코 아닐 것이기에 말입니다.

사랑을 가르쳐준 여동생

제게는 동생이 둘 있습니다. 둘 다 남자인데 사실은 지금 살아 있는 그 둘 밑으로 여자애가 하나 있었습니다. 지금까지 살아 있다면 올해 열여덟 살이 됩니다. 그 애는 네 살 때 죽었습니다. 그 애가 죽을 때 제 나이는 열한 살이었습니다.

혜경이는 아버지께서 돌아가시자마자 태어난, 말하자면 유복자였습니다. 그 애가 태어날 때는 여수·순천 10·19사건이 진압되고 있을 무렵인데 우리는 순천의 우리 집에서 광양에 있는 친척 집으로 피난을 가 있었습니다. 혜경이는 그 친척 집에서 태어났습니다. 그 친척 집은 딸부잣집인데 비록 남의 아이이긴 하지만 제 어머님께서 아들을 낳기를 바랐던 모양입니다. 그러다가 딸이 나오니까 퍽 섭섭해했습니다만 우리 식구는 무척 기뻐했습니다. 아들만 셋이니까 이번에는 딸이 나오기를 기다렸던 것입니다. 아버지께서도 이번에는 딸이 나오기를 기대하셨다고 하는데, 그러나 그 딸을 보지 못하고 돌아가셨습니다. 하지만 돌아가시기 전에, 만일 아들을 낳으면 이름을 아무개라 부르고 딸을 낳으면 혜경이라고 부르라는 당부를 잊지 않으셨으므로 우리는 그 아이를 혜경이라고 부르게 됐습니다.

마당 위로 총알이 날카로운 소리를 내며 날아가고 여기저기서 총살이 행해지는 판국에 아버지의 얼굴을 볼 수 없는 운명으로 태어난 그 아이를 우리 식구들은 유난히 예뻐했습니다. 특히 저는 그 애를 위해서라면 무슨 짓이라도 하겠다는 생각이 들 만큼 그 애를 사랑했습니다. 제가 그 애를 거의 독차지해 업고 다녔습니다. 그 애의 오줌똥도 제가 걸레로 닦아내곤 했습니다. 그 애는 걸음마도 하게 되었고 말도 하게 되었습니다.

그 애가 젖을 떼던 날을 잊지 못하겠습니다. 그 무렵 우리 집안의 식량 사정이 형편없어서 어머니의 가슴에서 젖이 잘 나오지 않았습니다. 잘 나오지 않는 젖을 그 애가 빨아대니까 어머니의 젖꼭지가 헐어버릴 지경이어서 어머니는 그 애가 젖을 달라고 다가오면 무서움조차 느낄 정도였던 모양입니다. 마침 젖을 떼도 괜찮은 때가 되었으므로 어머니는 뒤꼍에 자라는 어떤 풀의 줄기를 꺾어서 그 꺾인 부분에서 나온 뜨물 같은 즙액을 젖꼭지에 발랐습니다. 그 즙액은 아주 쓴맛이 나므로 혜경이는 엄마의 젖꼭지에 입을 대자마자 상을 찌푸리며 고개를 흔들어댔습니다. 결국 이제는 엄마의 젖을 얻어먹을 수가 없음을 알았을 때 그 애는 신경질을 내며 울어댔습니다. 그 애의 안타까움이 저에게도 그대로 전해져서 저도 같이 울었습니다. 그 애는 밥 먹는 것을 배우기 시작했습니다만 그 애가 죽을 때까지 먹은 것은 어른들도 먹기 싫어하는 꽁보리밥이었습니다.

한국전쟁이 날 무렵 우리는 여수에서 살았습니다. 어머니께서는 삯바느질 일을 하셨습니다. 어머님께서 하시는 일에 방해가 되지 않도록 저는 항상 그 애를 밖으로 데리고 나가 놀았습니다. 그런데 어쩐 일인지 그 애는 땅에 발을 대는 것을 싫어했습니다. 저는 구슬치기를 할 때도 그 애를 업고 있어야 했습니다. 이제 겨우 말을 배우는 아이가 마루를 오르내릴 때 혹시라도 땅에 맨발이 닿으면 걸레에 발바닥을 한참이나 문질러대곤 했습니다. 한국전쟁 때 우리는 남해라는 섬으로 피난을 갔습니다. 거기서 우리는 배급받은 감자가루를 끓여 먹고 살았습니다.

그 애가 죽은 것은 한국전쟁도 끝나서 다시 여수로 왔다가 거기서 순천으로 옮긴 후였는데 경기가 나서―저는 '경기'라는 병이 어떻게 생기는지 지금도 모릅니다. 아마

열이 심했을 때 정신착란을 일으키는 것인 듯하다고만 생각합니다—죽었습니다. 그 애가 죽던 날 밤을 잊지 못하겠습니다. 그때 어머니는 그 지방 사람들이 '아랫녘'이라고 부르는 꽤 먼 해안 지방으로 무명과 바꿔오기 위해 감을 몇 광주리 가지고 가시고 집에 안 계셨습니다. 혜경이는 죽던 날 아침부터 온종일 울었습니다. 우리는 으레 엄마가 보고 싶어서 우는 것이려니 생각하고 "엄마 곧 온다"고만 달랬습니다. 사실 그다음 날 어머니는 돌아오시기로 돼 있었습니다.

밤이 되면서부터 그 애는 거의 제정신이 아닌 상태로 울어댔습니다. 그때 집에는 두메산골에서만 평생을 살아오신 할머니와 저와 동생들밖에 없었습니다. 그 애가 몹시 울어대니까 할머니는 신경질이 나셨는지 저걸 밖으로 내쫓아버리라고 하셨습니다. 저는 그 애를 업고 캄캄한 밖으로 나와 둥게둥게를 하기도 하고, 여러 가지 말로 그 애를 달래기도 했습니다만 울음은 그치지 않았습니다. 밤이 되면서부터 우는 울음소리는 마치 신음 같았습니다.

밤이 깊었을 때 그 애는 까무러쳤습니다. 그제야 할머니는 그 애가 병이 든 것임을 깨달으셨는지 부랴부랴 밖으로 나가셔서 한참 만에 한 노파를 데리고 왔습니다. 노파는 혜경이가 경기가 난 거라고 하면서 마늘과 바늘을 가져오게 하더니 바늘로 혜경이의 손가락 끝을 콕콕 찔러 피를 내고 마늘로 혜경이의 뒤통수를 비벼대는 것이었습니다. 그럴 때마다 그 애는 파드득파드득 경련했습니다. 저는 엉엉 울었습니다. 새벽 3시경에 그 애는 죽었습니다. 저는 우리 할머니와 그 노파에게 달려들었습니다.

제가 진실로 누구를 사랑해본 것은 그 애뿐이었습니다. 지금은 얼굴도 생각나지 않습니다만 그 애를 생각하기만 하면 눈물이 납니다. 그 애는 사람을 사랑하는 능력을 저에게 일깨워준 최초의 그리고 유일한 사람이었습니다. 그리고 죽음에 대해 생각해보기를 제게 권유한 최초의 사람이었습니다.

그 애가 저에게 가르쳐준 사랑, 그것은 '사랑'이라는 말에 대해 제가 가지고 있는 개념입니다. 즉, 제게 사랑이란 연민을 뜻합니다.

나의 혼인기

작가는 결혼하지 마라

'계속 소설을 쓰려면 결혼하지 않는 게 좋지 않을까?' 하고 나에게 충고해준 친구들이 뜻밖에 많았다. 내가 좋아하는 소설가 중 한 사람인 앙리 드 몽테를랑 선생은 숫제 소설가가 결혼을 하면 그날이 바로 그 사람의 제삿날이라도 되는 듯이 떠드신다. 심지어 이번에 내 신부가 된 여자조차도 한때 나에게 "결혼하지 마세요, 댁은 결혼하면 안 될 사람이에요"라고 한 적이 있으니, 얘기가 이쯤 되면 내가 뭐 햇병아리나마 소설가는 소설가니까 대접을 해주느라고 결혼하지 말라는 뜻을 넘어 '네 사람됨을 보아하니 가정을 거느리고 살 만한 놈이 못 된다'는 얘기로 해석할 수밖에 없는 형편이었다.

물론 작가이기 위해서는 까다로운 조건들이 많다. 그 까다로운 조건 중에서도 가장 까다로운 조건이 있다면 아마 그것은 자유로워야 한다는 것일 게다.

그는 편견에 사로잡혀서는 안 되고, 지나치게 관습을 존중해서는 안 되고, 상식을 의심 없이 받아들여서는 안 되고, 어떠한 사태 어떠한 사람도 절대적으로 보고 대해서는 안 되고, 세상에 존재하는 모든 관계를 어떤 한 점에서만 이해해서도 안 되고…… 말하자면 '안 되고'의 투성이다. '안 되고'라는 말에 얽매여 사는 작가가 어떻게 자유로울 수 있느냐는 물음도 나오겠지만 생각해보시기 바란다. 그 '안 되고'들을 지키기 위해 얼마나 큰 자유가 필요한가를. 그의 머리와 가슴은 항상 열려 있어야 하며 동시에 마치 벌꿀처럼 끈적끈적하게, 즉 굳어 있지 않아야 한다.

작가이기 위한 또 하나의 까다로운 조건은, 아니 조건이라기보다 작가들은 그렇기 때문에 필연적으로 고독하다는 얘기도 나오게 된다. 고독 좋아하네, 하면 그뿐이겠지만 좋아하는 게 아니라 우리의 생활 속에서 비교적 종합적이고 객관적인 문제의 핵심을 잡아내서 얘기해야 하는 작가의 임무를 수행하려면 위에서 대강 나열한 '안 되고'들을 지켜야만 겨우 가능하며, 그러자니 마치 마을 사람들이 모두 거룩하게 여기는 서낭당을 의심해서 불을 질러본 어떤 사람이 그 마을 사람들에게 몰매를 맞고 쫓겨났을 때 느낄 수 있는 것과 비슷한 고독감을 느끼게 된다는 것이다. 그

고독은 좀 복잡해서 어떤 경우에는, 앞의 예를 늘려서 얘기한다면, 서낭당을 의심한 자기 자신까지도 의심하게 되니까 생기게 되는 깊은 고독감이다.

가만있자, 신혼 소감을 쓰자는데 엉뚱한 고독은 왜 나오는 것일까? 참, 남편 얘기가 아니라 작가 얘기를 하고 있었지. 얘기를 계속하자.

작가는 어쩌면 불행과 고난에 가장 가까이 있어야 하는 사람인지도 모른다. 적어도 불행과 고난 속에서 단순히 반사적으로만 괴로워해서는 안 되는 사람들이다. 좋은 예는 아니지만 쉬운 예를 들면, 누가 자기를 불로 지지는 일을 당해서도 '어이쿠 뜨거워! 옳지, 이것은 전기다리미로구나. 어이쿠 뜨거워! 옳지, 이것은 숯불 다리미로구나' 하는 식으로 살아야 하는 사람이라는 얘기다.

한편 작가는 인생의 진짜 모습을 붙잡아보려고 아무 데나 뛰어드는 것을 사양하지 말아야 하는 사람이기도 하다. 하느님의 가슴속에서부터 창녀의 자궁 속까지 들어가봐야 뭔가 얘기할 자신이 생기는 사람이다.

이 정도만 얘기해도 창작한다는 것이 얼마나 단독적이며 추상적인 행위인가를 짐작할 수 있으리라. 한 작가가 작품을 구상하고 만드는 동안에는 아무도 그 일을 도와줄 수 없으며 도와줄 필요도 없는 것이다. 재단사의 일은 분

필로 그어놓은 자국을 따라 가위질을 해줌으로써 도울 수 있다. 고리대금업자의 일은 주판을 놓아줌으로써 도울 수도 있다. 그러나 창작하는 사람의 일은 오히려 곁에서 없어져주는 게 도움이 될 때가 더 많은 법이다.

횡설수설 얘기가 길어졌지만 결론적으로 쉽게 한마디 한다면, 작가란 그저 저 혼자 세상을 다 알고 싶어 하는 놈이란 얘기다. 아니, 그보다는 작가란 남들에게 세상을 살라고 해놓고 자기는 좀 떨어진 곳에서 그들을 구경하는 놈이라고 얘기하는 게 더 옳을지도 모르겠다.

요컨대 나로서는 나에게 결혼하지 말라고 권한 사람들의 참뜻이 어디에 있었는가를 생각하다 보면 이제까지 얘기한 바와 같은 점들에 이르게 된다는 말이다.

과연 그럴까? 나의 욕망이 나에 대해 작가이기만을 원한다면 나는 결혼하지 말아야 할까?

나의 결혼기

총각 시절에 어느 남자나 한 번쯤 생각해보는 정도로는 나 역시 결혼 같은 것을 안 할 작정을 해본 적이 있다. 물론 '나는 소설을 써야 하니까' 하는 따위의 거룩한 생각으로서가 아니라 첫째, 돈을 벌 자신이 없다는 점과 둘째, 평생을 같이 살 수 있을 만큼 사랑할 수 있는 여자가 세상에 있을까 하는 점과 셋째, 정신적으로나 육체적으로나 방황하지 않으면 어쩐지 살고 있지 않은 듯이 느끼는 나의 성격 때문에 결혼과 나와는 별로 인연이 있어 보이지 않는 때가 있었다.

그런데 첫째의 문제, 즉 돈을 벌 자신이 없다는 문제야 지금 대한민국 남성이면 젊으나 늙으나 모두 부딪히는 터이니 새삼스레 나까지 떠들 것은 없을 것 같고 두 번째 문제, 즉 평생을 사랑할 수 있는 여자가 있느냐 없느냐의 문제는 곰곰이 생각해보니 연애하는 동안의 여자는 문자 그대로 애인이지만 그 애인이 일단 아내가 되면 두 사람의 관계는 마치 형제끼리의 관계와 같은 성질을 띠게 되니 염려할 게 없지 않으냐는 결론을 얻게 되었다.

이것에 관해 설명을 덧붙이자면, 한 남자와 한 여자가 결혼한 후에도 마치 연애할 때처럼 서로의 감정을 살피고 사랑의 변화에 신경을 쓰고 작은 일들로 오해해 며칠씩 신경전을 벌이고 하는 식으로 살려면 어찌 기나긴 세월을 제정신으로 살 수 있을 것인가? 그런데도 세상에는 자꾸 부부가 생겨나고, 그 부부들이 속이야 어떻든 겉으로는 끄떡없이 붙어사는 것을 보면 거기에는 반드시 어떤 조화가 있음이 분명하다. 그런데 내가 생각해본 바로는 그 조화야말로 결혼 이후에는 두 사람의 관계가 형제끼리의 그것처럼 변하게 된다는 것이다. 내가 얻은 결론이 정확하기만 하다면, 그러므로 평생을 사랑할 수 있는 여자가 있느냐 없느냐는 문제로 골치를 썩일 것은 없다는 얘기다.

나머지의 문제, 즉 방황해야만 사는 듯 느끼는 나의 성격에 대한 문제를 어떻게 해결했느냐 하는 점에 대해서는 여기서 간단히 얘기해버릴 수 없을 것 같다. 분명하지 않은 대로 대강 얘기한다면 다음과 같은 얘기나 할 수 있을까?

내가 작가가 되기 위한 훈련도 제대로 받지 못했고 작가가 되고 싶다는 욕망에 싸여 열심히 독학해본 적도 없이 무모하게도 소설을 끄적거리게 된 것은 실은 저 방황하는 나의 성격 때문이다. 나의 방황이 부질없는 방황 자체로 끝나버리지 않고 그 방황의 현실 속에 눈에 보이는 어떤 물건으로 나타날 수 있으려면, 내가 다른 어떤 직업보다도 소설 쓰기를 택했을 때만 가능하겠다는 계산을 했으니까 말이다. 사실 끊임없이 변화하는 것을 봐야 속이 시원하고 자기 자신도 늘 변하기를 바라는 사람의 직업으로 소설가는 괜찮은 짓이라고 말하고 싶다.

쉽게 말하자면 변덕쟁이는 소설가가 되라는 얘기인데, 이 변덕쟁이야말로 단란하고 아담하고 포근한 가정과는 인연이 없다. 왜냐하면 결혼한다는 것은 가정을 가지고 안주해야 한다는 것이고, 가정을 가진다는 것은 과연 이 사회, 이 관습, 이 상식, 이 타협, 이 단순한 감정, 이 단순한 사고를 받아들여야 한다는 것이기 때문이다.

하지만 문제는 이제부터다. 변덕쟁이는 자기가 변덕쟁이임에 만족하는 사람일까? 어쩌면 변덕쟁이야말로 자기가 변덕쟁이임을 가장 싫어하는 사람인지 모른다. 적어도 나는 그랬다. 소설을 못 쓰게 돼도 좋으니까 나도 내가 항상 존경하는 사람들, 일상생활을 겸손히 받아들이는 사람들 사이에 끼고 싶었다.

한편 이렇게 얘기할 수도 있다. 지나치게 변화만 쫓아다니다 보면 변화 자체에 무뎌져버린다. 그렇게 되면 변화를 즐길 수 있는 능력을 얻기 위해 다시 변화 없는 곳으로 기어들게 마련이다. 그야 어떻든 그러한 나에게 지금 내 아내가 된 여자가 나타났다.

아쭈, 결혼 이력서를 펼쳐놓을 작정이군그래? 아냐, 아냐. 내 짝꿍을 칭찬 좀 해보려고 그래. 그래? 그럼 어디 해봐. 그래 얘기할게. 나에게 결혼을 결심하게 한 그 여자의 성격에 대해서만 한마디.

그 여자는 거의 완전무결할 정도로 에고이스트다. 동시에 그 여자가 세상에서 가장 싫어하는 게 바로 변덕쟁이다. 그 여자는 상식 이상도 이하도 이해하려고 하지 않기로 아주 작정한 사람 같다. 관습을 즐긴다. 이 여자의 문학에 대한 오해는 무지막지할 정도다. 문학이란 건전한 사람을 괜히 병들게 하며, 문학인이란 괜히 술이나 마시고 바바리코트의 깃이나 세우고 다니는 사람인 줄로 안다. 그러면서도 미美에 대한 추구는 굉장하다. 하지만 그것도, 예를 들어 자기를 닮은 여자가 아니면 아무도 미인이 아니라고 생각할 정도로 독선적인 데가 있다. 겉으로는 꽤 상냥하고 부드러운 것 같은데 차디찬 자기가 안에 도사리고 있다. 타인은 항상 타인 이상도 이하도 아니다. 단순히 상식적인 여자가 아니라 철저히, 아주 철저히 상식적인 것을 사랑하는 여자다. 내 글재주로는 아무리 써도 그 여자의 오만불손을 설명할 수가 없다.

써놓고 보니 내 짝꿍의 칭찬이 아니라 흉을 보고 만 것 같은데, 문제는 얼마 되지 않은 내 인생에서 내가 만나본 사람 중에 나를 가장 당황하게 한 사람이라는 데 있다.

아무리 만나봐도 그 여자에게 나는 항상 타인이었다. 타인치고는 약점을 빤히 알아서 마음대로 조종할 수 있는 타인이었다고나 할까. 사정이 그쯤 되면 이쪽은 화가 나는 법이기도 하다.

그런 사람을 본 적이 있는 분은 내가 지금 무슨 얘기를 지껄이는지 이해할 것이다.

그런 여자를 알게 되면 아무리 변덕쟁이라도 움직이지 않는 것의 굳셈에 놀라게 된다. 그리고 때마침 그 변덕쟁이가 자기가 변덕쟁이임에 싫증이 났을 때 그런 여자를 알게 되면 그 여자에게 반하게 된다.

한편 그런 식의 여자를 상대하는 방법이라고는 다만 두 가지밖에 없는데 하나는 그 여자를 싹 무시하는 것이고, 다른 하나는 그 여자와 얼른 결혼해버리는 것이다. 나는 당연히 후자를 택하지 않으면 안 되었다. 말하자면 나는 그 여자를 통해 구제되기를 바랐다는 얘기다.

아닌 게 아니라 결혼함으로써 내가 어떤 상태로 구제되었을 때도 계속해서 소설을 쓸 수 있을 것인가 없을 것인가 하는 점은 나 자신도 솔직히 의심스럽다. 지금으로써 바라는 것은 이 결혼으로 내가 인생의 진실한 국면으로 들어섰으며, 그럼으로써 앞으로는 나 자신이 봐도 진실해 뵈는 소설을 쓸 수 있기를 기대하는 것뿐이다. 변덕쟁이가 쓴 소설이란 아무리 봐도 믿음직스럽지가 못하기 때문에 말이다.

결혼식 촌평

　결혼식 날, 신랑 대기실에서 흰 장갑을 꼈다 뺐다 하며 식이 시작되기를 기다리고 앉아 있는 나를 찾아준 한 친구가 "인마, 너도 남들처럼 평범하게 결혼식을 하리라고는 생각하지 않았는데……" 하며 자못 가엾다는 투로 하는 말을 듣고 그 자리에서는 씩 웃고 말았지만 나중에 곰곰이 생각해보니 화가 나서 견디기 힘들었다.

　나와 내 짝꿍이 광화문 지하도쯤에서 물구나무서기를 하여 결혼식을 했더라면 그 친구 녀석은 만족했을지 모르겠는데, 아무리 결혼식이 남들에게 보이기 위한 형식으로서 마치 무대 위의 짧은 연극 같은 것이라 할지라도 왜 하필이면 나만은 괴상한 결혼식을 보여주리라고 기대했을까 생각하니 그 친구 녀석의 말이 괘씸하게 생각되었다.

　하지만 좀 더 후에 곰곰이 생각해보니 그 친구가 한 말은 다만 '평범하게 하리라고 생각하지 않았는데……'라는 것뿐으로, 예를 들면 부조금을 받지 않는다든지 또는 양쪽 가족들만 모여서 결혼식을 올리고 청첩장 대신 '아무개 군과 아무개 양이 몇 월 며칠에 결혼했으므로 알려드립니다'라는 인쇄물이나 돌리고 말든지 또는 미국식으로, 결혼할 두 사람만 법원에 가서 속성으로 결혼식을 해치우든지 하는 따위의 좀 근대적인 형식을 택할 수도 있었겠지 않았냐는 뜻의 진보적인 권유였을 수도 있다는 생각이 들었다. 그렇다고 생각하니 불편하고 바로잡아야 할 점도 없지 않은 세상 관습을 별로 검토해보지 않고 그대로 받아들인 나를 용서해달라고 그 친구에게 빌고 싶었다.

그러나 우선 딴에는 꽤 머리를 써서 우리 분수 이상의 형식·절차는 되도록 생략하느라고 애썼다. 우선 우리는 약혼식을 생략했다. 약혼식 대신 양쪽 집안 어른들이 모여서 저녁을 같이하며 결혼식 준비에 관해 의논했다.

결혼 예물도 그야말로 기념품 정도로 했다. 내가 신부에게 드린 예물은 금반지와 금귀걸이와 시계였고 신부가 나에게 준 예물은 시계와 카메라였다.

그런데 솔직히 털어놓자면 '분수에 맞게'라는 말이 실은 은근히 처량한 말임을 이번에 잠깐 느꼈다. 언젠가 아케이드에서 보석 상점을 연 친구가 "네가 혹시 결혼할 때 신부한테 에메랄드를 선물했다는 얘기가 들리면 나는 그날부터 너를 존경하겠어"라고 나를 슬쩍 건드린 적이 있었다. "빌어먹을! 그놈의 에메랄드가 얼마나 귀하고 비싼지 몰라도 기어이 그것을 사고 만다"고 큰소리를 뻥뻥 쳤고 아닌 게 아니라 나한테 시집오는 여자에게는 그것쯤은 해줄 수 있어야 할 텐데 하고 별렀던 바지만…… '분수에 맞게,

분수에 맞게' 하고 말았다. 처량한 느낌이 약간. "나중에 해주시면 되잖아요?" 하는 짝꿍의 위로는 나를 더욱 처량하게 만든다.

얘기가 엉뚱하게도 내 허영심 쪽으로 빗나갔나 보다. 그러나 사람들에게는 남에게 권하고는 싶으면서도 자기 자신은 그것을 행할 자신이 없는 생각이 있는 법이다. 이번 나의 결혼식은 그 중간에서 고민한 결과로 나타난 어떤 형식이었다고나 할까, 말하자면 아주 근대적인 결혼식도 아니었고 그렇다고 재래식으로 갖출 것은 모두 갖춘 결혼식도 아니었다.

앞으로 결혼하실 분들은 정말 평범한 결혼식을 하시지 말기 바란다. 예를 들면, 앞에서 얘기했듯 자기 집에 아담한 정원이 있는 분은 그곳에서, 그렇지 못한 분은 조용한 공원의 한 귀퉁이를 빌려 양쪽 가족과 친척 몇 분만 모여 간단히 식을 올리고 나머지 사람들에게는 '결혼했습니다'는 통지서나 보내는 정도로 하는 게 어떨까? 그리고 결혼 예물도 여자에게는 금반지, 남자에게는 시계 정도로 한다. 사실은 내가 공상하던 나의 결혼식은 그런 것이었다.

신혼 생활의 문제점

요즘 내가 가장 골치를 앓는 것은 내 신부가 밤만 되면 울먹울먹한다는 것이다. 눈에 눈물이 글썽글썽해지기 시작하면 나는 재빨리 머릿속에서 내 신부를 웃길 말이나 뭔가 재미있는 얘기를 준비해야 한다.

내 신부는 세상에 태어난 후로 한 번도 자기 집 아닌 집에서 자본 적이 없고, 성격 자체가 자기가 모르는 곳, 또는 가보지 않은 곳은 아예 가보고 싶어 하지 않는 여자다. 이른바 연애 기간에도 명색이 아베크라고 하여 다닌 코스가 4년 동안 빤했다. 을지로 입구에서 출발하여 명동을 한 바퀴 돌고, 반도호텔 앞을 지나 무교동으로 들어서서 무교동의 광화문 쪽 입구에 있는 다방에서 차 한 잔씩 마시고 집으로. 이것이 4년 동안 거의 매일 되풀이되었고. 그런데 그 외의 길을 아가씨는 죽어도 안 가겠다는 것이었으니 돌이켜보면 내 인내심도 어지간하다. 어렸을 때부터 서울서 살아온 여자가 지금으로부터 2년 전에 내가 가르쳐줘서 처음으로 서울역이 어디 붙어 있는지 알았으니 그 정도면 얼마나 변화를 무서워하고 미지의 사물에 대한 동경심이 없는, 즉 얼마나 멋이 없는 여자인가 짐작할 수 있으리라.

그런 체질인 신부는 밤만 되면, 마치 어린애처럼 자기 집에 가고 싶어 눈물을 글썽거린다. 이러다가 무슨 병이나 나지 않을는지, 나의 요즘 가장 큰 고민은 이것이다. 이 글을 읽으시는 분 중에 좋은 충고를 해주실 수 있는 분은 제발 좀 빨리해주시면 고맙겠다.

신혼 일기

11월 19일

1시 정각 예정이던 식이 15분쯤 늦게 시작한다. 식이 진행되는 동안 떨리지는 않는데 쑥스러워 자꾸 웃음이 나오려는 것을 굳세게 참으려니 필요 이상으로 얼굴이 굳어진다. 곁눈질해 보니 꽃을 든 신부의 손이 와들와들한다. 그래그래 떨어라, 오늘 안 떨면 언제 떨리.

양쪽 가족과 친지들만 모여 한일관에서 간단한 피로연을 갖다. 그 자리에서 옆의 작은 방 하나를 빌려 폐백을 올리다. 신부의 큰절하는 속도가 왜 그리 느린지 처음 봤다. 여자가 한복을 입고 큰절하는 자태가 그렇게 아름다운 줄도 처음 알았다.

피로연에서 늑장을 부리고 앉아 있다가 보니 비행기 시간이 한 시간밖에 안 남아 사람들에게 인사도 제대로 못하고 부랴부랴 김포로 향하다.

자식들 문제에 들어서면 남의 눈치건 뭐건 가릴 것 없이 극성스럽기로는 유난하시다는 점에서 두 분이 퍽 닮은 어머님과 장모님께서 흐린 날씨를 걱정하시며 공항까지 우리를 바래다주시다.

나쁜 기류에 몹시 흔들리며 비행기 속에 앉아 있으려니 오늘 우리의 결혼식장에 와주신 여러분에 대한 고마움이 새삼스럽게 가슴을 채우다. 꼭 와주리라 기대했는데 오지 않은 몇 분이여, 이유야 어떻든 지옥으로 가소서.

7시에 부산 수영 비행장에 내리다. 비가 꽤 억세게 내리고 캄캄한 밤이고 택시가 없다. 한 시간 이상 동안 처음 와보는 쓸쓸한 대기실에서 택시가 나타나기를 기다리려니 문득 이제부터 두 사람의 힘으로 살아가야 하는구나 하는 느낌이 절실해졌다. 비 오고 어둡고 우리를 데리고 갈 아무것도 없는 세상을 말이다.

기다리다 못해 남의 자가용을 세내어 해운대로 가서 예약해둔 극동호텔 603호실에 트렁크를 풀다.

신랑 신부, 배가 고파 죽을 지경이다. 400원짜리 비싼 한정식을 먹고 나자마자 신부로부터 결혼 예물로 받은 카메라를 시험해보고 싶은 생각이 간절해, 그리고 신부 화장이 지워지기 전에 사진을 찍어두고 싶어서 이 옷 입어라, 저 옷 입어라, 계단에서 찍자, 베란다에서 찍자, 초점

을 맞추고 있으니 머리 좀 움직이지 마, 하는 식으로 웨이터들 외에는 아무도 잘 나타나지 않는 조용한 호텔 안을 새벽 2시까지 오르락내리락 왔다 갔다 하며 설쳤다. 우리 같은 신혼부부는 처음 보는지 6층 담당의 김 씨라는 웨이터는 우스워 죽겠다는 눈치다.

그러나 혜욱이도 그런 모양이지만 나 역시 마치 누가 엿보기라도 하듯 호텔 방문을 안으로 잠그고 들어앉아 있다는 것에 야릇한 부끄러움을 느끼는 것 같았다. 그래서 괜히 떠들어대며 카메라를 들고 붉은 카펫이 깔린 조용한 복도를 이리 뛰고 저리 뛰고 한 것 같은데 지금 생각하니 그게 오히려 희극이었던 것 같다.

11월 22일

결혼식을 치르고 이 글을 쓰는 지금까지 76시간 55분이 지났는데도 여전히 나는 묘령의 총각인 듯한 느낌에 빠져 있으니, 만일 이 느낌이 일생 계속된다면 참말 야단이 아닐 수 없다.

내 신부 역시 이젠 한 시커먼 사내의 아내라는 사실이 별로 실감 나지 않는 모양이다.

하기야 결혼식 준비를 겨우 일주일 전부터 시작해 그나마 청첩장 인쇄하는 일부터 신혼여행 비행기 표 끊는 일까지 둘이서 모두 하다시피 했으니 내 신부의 말을 빌려 '너무너무 피곤해' 뭐 신랑이니 신부니 하는 기분을 즐길 기운이 없다고 과히 이상스럽지는 않으리라. 첫날밤에는 어떤 신랑이건 자기 신부에게 한다는 말, 즉 '피곤하지?' 하는 말조차 못할 정도로 피곤했고 다만 두 번 세 번씩 결혼한 남자들의 정력에 고개가 갸우뚱거려질 뿐이었다.

지금 우리는 밀월 중이지만 머리를 가득 채우는 것은 갈현동에 얻어놓은 셋방에 부엌이 없다는 새삼스러운 사실과 모 지의 연재소설을 마감 날까지 써댈 수 있을까, 하는 따위의 즐거운 것과는 좀 인연이 먼 생각들뿐이다.

신부의 걱정은 첫째 내가 늦잠보라는 사실, 둘째 내 다리를 닮은 아이를 가지게 될 경우를 든다. 아닌 게 아니라 내 다리가 좀 못생기기는 했다.

신부의 첫째 걱정에 대한 대책으로서 나는 결혼식 전날 늦잠을 자지 않겠다는 서약서를 쓰고 도장을 찍어야 했다. 다행히 서약서 따위의 문서 작성에 어두운 아가씨인 덕택에 만일 내가 서약을 어겼을 때는 어떻게 한다는 조항이 없으므로 세상에서 내가 내 신부 다음으로 좋아하는 늦잠을 버리지 않아도 좋게 되는지 어떨지……. 둘째 걱

정에 대해서는 나로서는 정말 자신이 없고 믿을 것은 멘델 선생뿐이라고 신부에게 분명히 못을 박았다.

그럭저럭 내 신부의 걱정은 해결됐지만 이제는 나의 걱정이 남았다. 내 걱정이란 정말 예상하지 못한 것이므로 더욱 가슴 무겁게 느껴진다. 그 걱정거리를 발견한 것은 이번 신혼여행에서인데 다름 아니라 남편은 아내를 무작정 기다려야 한다는 사실이다. 화장이 끝날 때까지, 미장원에서 나오기를, 또는 밥상이 다 차려지기를, 옷을 빨아주기를, 그리고…… 앞으로 살아가야 할 많은 날을 아내를 기다리는 데 바쳐야 한다니, 아니 아니 신부여, 그것을 즐거움으로 알겠다는데도 꼬집고 마는군그래.

11월 24일

어제 오후 2시에 버스로 마산에서 출발하여 순천에 도착.

오는 도중 경전선의 철로 공사가 한창인 것을 보니 어렸을 때 기차로 순천에서 부산까지 갈 수 있었으면 하는 것이 내 꿈 중 하나였던 게 생각나서 기뻤다.

신혼여행은 어저께로 끝난 기분이다. 아직도 여행 중임은 틀림없지만 적어도 신혼여행 중 그 독특한 기분이 고향에 오니까 싹 가셔버린다. '신혼여행 중 독특한 기분'을 글로 표현하려면 상당한 시간과 노력이 필요할 것 같다. 사람들은 흔히 꿀맛이라는 애매하고 간단하고 놀림조로 말하지만 그것은 아무래도 맛의 일종 같지는 않고, 글쎄 글쎄 뭐라고 표현해야 할까. 요컨대 무엇인가를 구상할 때의 그 탁 트인 즐거움이 신혼여행 중에 있었다 하면 고향에는 무엇인가 실행하지 않으면 안 되는 괴로움이 있는 것 같다고나 할까. 친척들이 우리 부부의 허영과 낭비를 용서하지 않고 우리 부부가 이행해야 할 의무만을 강조해 들려주기 때문일까.

그렇지만 한편 내 결혼을 충심으로 대견히 여겨주고 기뻐해주는 사람들이 고향에 많다는 사실을 알게 되었다.

나를 어렸을 때부터 알아온 사람들이야말로 내가 어떤 마음씨의 여자를 아내로 맞았는가, 어떻게 생긴 색시인가, 이 애들이 또 아이를 낳겠지, 우리와 같은 고향을 가지게 되는 아이들을 말이야, 하고 생각하는 사람들인 것 같다. 특히 서울에서 태어나 서울에서만 자라서 한 번도 먼 여행을 해본 적이 없는 것으로 믿어지는 순전한 서울 색시 혜욱이는 시골 사람들만 할 수 있는 정에 넘친 대접을 생후 처음으로 받아보고는 자못 감격한 모양이다. 혜욱이가 내 고향을 사랑하게 된 것이 당연할지 모르나 나

로서는 무척 기쁘다. 서울에서 살아가는 동안 서울식으로 다소 신경질적인 혜욱이가 정신적으로 피곤하여 혹시 신경질을 부리는 상황이 생기면 고향으로 데리고 와야겠다.

11월 30일

혜욱이와 나는 살림 도구를 사러 동대문시장에 갔다. 대학 시절 자취할 때 가끔 반찬을 사러 시장 입구의 반찬 가게에는 몇 번 가본 적 있었지만 정식 살림살이 도구들을 파는 데는 나로서는 처음이다.

물건값을 에누리하려고 둘이서 있는 재주 없는 재주를 다해보았으나 달라는 값에서 별로 많이 깎지는 못하고 말았다.

덜렁거리는 물건 꾸러미들을 한 아름 들고 혜욱이의 뒤를 부지런히 쫓아 다니려니 '제기랄 이게 남편이야?' 하는 생각이 든다.

그러나 집으로 돌아와 사 온 예쁜 술잔 등을 찬장에 진열하고 있으려니 참 재미난다. 살림이란 별것 아니라 돈이 많이 드는 소꿉장난일까?

12월 4일

그동안 김장을 해주고 가시겠다고 함께 계시던 어머니께서 오늘 시골로 가신다.

미리부터 걱정하던 대로 어머니는 나와의 사이가 퍽 멀어진 듯한 느낌을 떨쳐버릴 수 없으신 모양이다. 아니 설마 멀어졌다고는 생각하시지 않겠지만 어쨌든 나를 어린아이로서 대할 수 없게 된 점 때문에 섭섭하신 모양이다. "늦잠보를 네 마누라한테 인계하고 나니 시원하다"고 우스개 말씀을 하시지만.

자라서 장가가는 아들이 기쁘면서도 떠나는 아들은 언짢은 것이 모든 어머니의 마음인 것 같다.

혜욱이가 본격적으로 주부티를 내기 시작한다. 대강만 정리해두었던 살림살이를 새벽잠도 안 자고 3시까지 털고 닦고 한다. 야, 나머지는 내일 하고 그만 자자, 야.

아장아장 아기가 달려왔다

처음으로 '내 자식'을 가졌다. 주위에서는 결혼한 지 3년이 넘도록 왜 아이가 없느냐, 혹시 한쪽이 병신인 것 아니냐고들 성화였고, 처음에는 나의 '후세 무용론'에 전적으로 동조하는 것 같던 아내가 차츰 나의 개똥철학을 철회해주었으면 하는 눈치를 보이다가 급기야는 '아이를 낳지 못하게 하면 함께 살 수 없다'는 식으로 강경하게 나오는 바람에 할 수 없이 작년 여름 어느 날 밤 애용하던 도구를 철수했다. 그러고 나서 얼마 후 아내의 짜장면 타령을 듣게 되자 나는 허공의 한구석에서 쇼펜하우어 선생이 '그것 봐, 걸려들었지? 너라고 별수 있니?' 하는 소리가 들려오는 것 같아 뒤통수를 긁적댔다.

실은 '아이를 갖지 말자'는 나의 주장이 뭐 굉장히 차원 높은 이론을 거느렸던 것은 아니다. 그렇다고 '먹여 살릴 자신이 없어서'라는 농담이 내 주장의 이론이었던 것은 물론 아니다.

오히려 비슷한 또래끼리 모인 자리에서 '아이를 낳느냐 마느냐, 많이 낳을 것이냐 적게 낳을 것이냐'는 화제가 나오면 "낳아야지, 아이를 낳지 않겠다는 사고방식은 문명 말기 증상 중 하나다. 아이를 낳는다는 것 자체가 문명 말기를 극복하는 원동력이 될 수 있을 것이다. 산아 제한과 아이를 낳지 않겠다는 것은 전연 다른 얘기다. 어쩌면 산아 제한이라는 것도 어떤 각도에서 생각하면 이 말기 문명 속에서 현상 유지나 하자는 소극적인 태도의 하나에 불과할는지 모른다. 중국에서도 이제는 산아 제한이 고창高唱되고 있다 하지만 내가 들은 얘기로 춘원 선생이 상하이에서 어느 중국의 서민한테서 들었다는 얘기가 음미해볼 만하다고 생각한다"고 주장하던 나였다.

춘원 선생이 어느 무식한 중국의 서민에게서 듣고 감탄했다는 얘기란 대강 이런 것이라고 한다.

"외국에까지 나와서 독립운동한다고 왜 이리 고생하오? 고향으로 돌아가서 아이를 많이 낳으시오. 그게 바로 가장 효과적인 독립운동이오."

물론 지도자의 독립운동 방식과 서민의 방식에는 큰 차이가 있다는 것을 그 중국인은 몰랐겠지만 아이를 낳는 것을 서민의 독립운동 방식으로 의식했다는 것은 그러지 못한 사람들과 큰 차이가 있다.

어떻든 혓바닥 주장으로는 그렇게 말하면서도 그 주장을 나 자신에게 적용하는 데는 몹시 망설이던 나였다.

내 아내가 '개똥철학'이라고 부르고, 나 자신은 강박관념이라고 여기고 싶은 생각이 하나 있었다.

수많은 시간의 체가 흔들리는 동안 특히 파란 많았던 우리나라에서는 진취적인 용기와 정열을 가졌던 사람들은 씨도 못 남기고 거름질당해버리고 핏줄 속에 악덕을 유지한 자들의 자손만이 살아남은 게 아닐까? 나 역시 그렇게 이어진 생명체가 아닐까? 거름질당한 아름다웠던 사람들을 기리는 표시로서는 물론 가장 적극적으로는 그분들의 흉내라도 내는 것이지만 살아남은 더러운 자의 후손답게 그 흉내도 못 낸다면…… 그러니 이따위 생명체를 더는 연장하지 않는 게 그나마 최소한의 표시가 되는 게 아닐까? 대강 그런 생각이 내가 아이를 낳지 않으려던 이유 중 큰 하나였다.

지난 5월 어느 날 밤, 병원의 산실 밖 벤치에서 나를 지배하던 불안감에는 물론 지금 저 안에서 비명을 지르는 아내가 무사히 아이를 낳을 것이냐, 아이는 어디 병신인 것은 아닐까 하는 따위의 걱정이 크게 차지했지만 앞에서 말한 죄악감도 상당한 양이 섞여 있었다.

그런데 간호사들이 목욕을 시키기 위해 밀고 나오는 작은 수레 위에 누워서 천장의 형광 불빛을 향해 눈동자를 굴리는, 내 얼굴의 특징을 닮은, 이마에 피가 묻어 있는 내 아이와 첫 대면을 하자마자 나의 내부로 밀려드는, 나로서는 지극히 낯선 감동이 이전에 나를 지배하던 불안감과 죄악감을 휩쓸어 밀어내버리는 것을 느꼈다.

우주선이 달을 향해 가는 텔레비전 중계 방송을 보고 난 후 잠자리에 들어서도 지금도 그들은 외롭게 갇힌 채 공포로 가득 찬 어두운 허공을 믿을 수 없이 빠른 속도로 달리고 있겠구나 생각하며 느끼던 감동도, 달보다 수억 배나 더 먼 우주의 저 끝으로부터 신비와 공포의 암흑 속을 혼자서 아장아장 달려 이제 막 여기에 도착한 아이를 보는 순간의 감동에 비하면 정말 아무것도 아니었다.

나 같은 자를 믿고 저 까마득한 곳으로부터 험난한 어둠 속을 달려 네가 여기까지 왔구나! 며칠 후에는 퇴원해 아이가 이 세상에서 맨 처음으로 살게 될 방을 단장하기 위해 집으로 가면서 나는 그런 감동에 싸여 있었다.

그런 느낌에 싸여 있는 나의 눈에는 얼마 전까지만 하더라도 추악한 죄인들같이만 보이던 행인들 하나하나가 내 아이처럼 장하게 혼자서 여기까지 달려온 사람들이라는 각성으로 아름다워 보였고 나 자신마저도 그래 보였다.

그러나, 아니 그러므로 집을 향해 밤길을 가는 동안 나는 아이를 맞이하기 위해 우리가 마련해놓은 것의 초라함을 뼈저리게 느끼기 시작했다. 우리의 집, 우리의 방도 그 사랑스러운 아이를 맞아들이기에는 몹시 초라하다고 생각되었다. 아이가 가지고 놀 장난감, 아이가 볼 그림책, 아이가 앉아서 공부할 의자, 아이가 다닐 학교, 아이를 가르칠 선생님, 아이가 건너갈 한길, 아이가 놀 공원, 아이가 치료받을 병원, 아이가 드나들 관청, 아이를 보호해줄 제도와 법, 아이가 즐길 풍속, 아이가 살아갈 조국, 아이가 생명을 걸고 지켜야 할 가치……

우리의 아이가 도착하기를 기다리는 것은 수없이 많지만 아이가 우리에게 보내는 완전한 믿음에 비하면 우리가 아이들을 위해 마련해둔 것들은 얼마나 불완전하고 볼품없는가! 그 초라한 것 중에는 우리의 문학도 끼어 있다. 이제부터라도 나는 아이에게 초라한 문학을 내밀지 말아야 하겠다.

5부

한 이불 밑의 행복과 불행

　남자나 여자나 얼핏 보면 눈과 코와 입이 모두 똑같은 사람이고, 서로 다르대야 남자는 고추가 달려 있고 여자는 애를 낳을 수 있다는 점만 다를 뿐인데, 바로 그 다른 점이 이만저만 중요한 게 아닌 모양이다. 하기야 끝없이 넓은 우주도 따지고 보면 음과 양과 중성이라는 세 가지 성질의 물질로 이루어져 있다고 하니 양인 남자와 음인 여자는 서로 다른 존재로서 오히려 한 가지만 다르고 눈과 코와 입 같은 데가 서로 닮았다는 사실을 더 이상하게 생각해야 할지도 모른다.

　나는 사춘기의 한때에 여자가 아득히 우러러 보이고, 나도 과연 '나의 여자'를 가질 수 있을지 자못 절망적인 느낌이 든 적이 있었다. 그때 '왜 세상에는 남자와 여자라는 두 가지 성밖에 없을까? 대여섯 가지의 성이 있어서 이것하고 잘 안 되면 저걸 골라잡을 수 있게 되어 있지 않고……' 하며 이 우주의 어느 별엔가는 남자와 여자 말고 제3, 제4의 성을 가진 존재들이 어울려 살고 있으리라는 공상을 했었다. 그러나 나는 얼마 지나지 않아서 그런 공상에서 깨어났다. 왜냐하면 우주는 아무래도 음과 양과 중성이라는 세 가지 성질로만 이루어져 있으니까 어느 별에 지구와 다른 사람들이 살고 있대야 중성의 성을 가진 사람이 살 뿐인데, 중성이란 것이 말 그대로 중성이어서 남자 쪽에서나 여자 쪽에서나 별 볼 일 없는 존재일 것으로 생각했기 때문이다. 거기에 덧붙여서 서로 끌리고 끌어당기며 어울려서 조화를 부릴 수 있는 것은 아무래도 양과 음, 곧 남자와 여자끼리일 수밖에 없으니 이 우주 어디에도 없는 제3, 제4의 성을 가진 존재를 그리워할 게 아니라 당장 여학교 교문 앞에 얼마든지 널려 있는 여학생 중에서 좀 힘들더라도 '나의 여자'를 찾으려고 노력할 수밖에 없다고 각오한 적이 있었다.

어쨌든 수많은 소설이며 연극이며 영화가 거의 전부라고 해도 좋을 만큼 남자와 여자와의 사이에 벌어지는 얘기를 담고 있는데도 새로운 얘기를 쓰겠다고 나서는 작가들이 얼마든지 있고 또 앞으로도 계속해서 나올 것이 확실한 것을 보면 남자는 고추가 달렸고 여자는 아이를 낳을 수 있다는 차이는 여간 큰 차이가 아닌 게 분명하다.

남자와 여자의 다른 점에 대해서는 동서고금에 재미있는 말씀들이 많이 있겠지만 나에게 인상이 깊은 것은 독일의 철학자 쇼펜하우어의 주장이다. 그 주장의 뜻을 대강 내 나름으로 한번 풀어보겠다.

이 우주는 '자연의 의지'에 의해 지배된다. 세상 만물은 자연의 의지에 따라 태어났다가 죽는다. 그 자연의 의지의 한 심부름꾼으로 '종種의 의지'란 놈이 있다. 우주의 모든 생물을 지배하는 것은 바로 그 '종의 의지'인데 그것이 하는 일은 암컷과 수컷이 붙어 새끼를 만들게 하고, 만들어놓은 새끼들을 어른이 될 때까지 돌보며 벌어먹이게 하고, 그 새끼들이 다 자라 자기 새끼를 낳을 수 있는 능력을 갖추게 되면 그 어버이들은 늙어서 죽도록 하고, 다 자란 새끼들은 또다시 암컷과 수컷이 붙어서 새끼를 만들게 하는 일을 끝없이 되풀이하도록 하는 일이다. 모든 개체는 이 종의 의지로 지배되는데 개체가 하는 짓은 제아무리 저 혼자 알아서 하는 짓이려니 하고 생각해도 실은 모두가 이 종의 의지의 손끝에 놀아나는 짓이다.

사람도 마찬가지다. 남자와 여자가 저희끼리 좋아 연애를 한다고 생각하지만 왜 서로 좋아하는 감정이 생기느냐 하면 바로 이 종의 의지가 시켜 그런 것이다. 연애의 달콤한 맛이란 실은 둘이 붙어서 자식을 만들라고 꾀는 종의 의지가 사람들에게 슬쩍 던져준 미끼다. 다른 여자보다 꼭 이 여자가 맘에 든다, 다른 남자가 아니라 바로 이 남자라야만 혼인하겠다는 생각들도 얼핏 생각하면 자기 나름의 특별한 취향 때문인 듯하지만, 알고 보면 서로의 결점을 보충해 더 완전한 자식을 만들라고 꾀는 종의 의지가 작용한 탓이다. 키가 작은 남자는 키가 큰 여자를, 머리가 나쁜 여자는 머리가 좋은 남자를 좋아하기 마련인 것이 바로 그 증거다.

그처럼 세상 만물을 지배하는 것은 의지이고 그중에서도 생물을 지배하는 것은 종의 의지인데 다른 생물들은 무엇 때문에 자기네가 태어나 새끼를 낳고 늙어 죽는지를 알지 못하지만 다만 사람만이 자기들을 지배하는 것은 바로 의지란 놈임을 '인식할' 수 있는 능력을 갖추고 있다. 이 인식이라는 능력도 따지고 보면 의지에서 생긴 것이지만 불효자식이 부모 쳐다보듯 의지를 말끄러미 쳐다볼 수 있는 놈이다. 도둑질을 당하고 나서 도둑놈이 누구인지 아는 것과 모르는 것의 사이에는 큰 차이가 있듯이 우리를 지배하는 것이 의지임을 인식 덕분에 알게 된 우리는 그 의지를 때려잡을 수도 있다. 이를테면 자식을 만들어서 몸을 팔든 뼈가 빠지든 부지런히 벌어먹여 키워놓

231

고 죽으라는 것이 의지의 명령이고, 그 명령에 꽃이든 나비든 고양이든 호랑이든 따르지 않는 게 없는데, 인식이라는 것을 가진 사람만이 다만 그 허망한 의지의 명령에 따르지 않고 머리 빡빡 깎고 중이 되어 자식을 안 만들어버릴 수도 있고, 의지가 '이젠 죽어라'고 하기 전에 아직도 몇십 년 더 살 수 있는 제 목숨을 제 손으로 끊어버릴 수도 있다. 그처럼 인식은 맹목적인 의지에 대항해 사람을 사람답게 해주는, 사람만이 가진 능력이다.

그런데 사람 중에서도 남자는 대체로 이 인식이 가리키는 바를 따르고 여자는 대체로 의지가 시키는 대로 산다. "우주는 어떤 법칙에 따라 움직일까?" "사람은 무엇을 위해서 살아야 할까?" 이처럼 묻는 것은 대체로 남자이고 그저 어디 멋진 남자하고 붙어서 아이 낳고 살 수 없나 하고 눈을 희번덕거리는 것은 대체로 여자다.

이것이 쇼펜하우어 선생의 말씀을 대강 내 나름대로 풀어본 내용이다.

독일의 시인 릴케도 묘한 말씀을 한다. "남자는 아이를 낳을 수 없으므로 예술을 할 수 있다."

많이들 읽는다는 번역된 일본 소설을 보니 그 속에도 비슷한 말이 나온다. 물론 그 소설의 작가가 만든 대사겠지만, 4백 년 전쯤의 일본에 강력한 중앙집권 정치를 펴

오늘 일본의 기틀을 마련한 도쿠가와 이에야스 장군이 말씀하시기를 "여자란 아이를 낳게 해주고 그 아이와 함께 살아갈 수 있도록 뒤만 대주면 만족해하는 존재니까……" 그러니까 비용만 대줄 수 있으면 마누라를 얼마든지 얻어두고 그 여자들에겐 애들이나 키우라고 해두고서 남자는 자기 뜻대로 통일이라든지 정치라든지 예술이라든지 학문이라든지 그런 사업에 몰두하면 된다는 말이다.

물론 머리 깎고 중이 되거나 수녀가 되어 아이를 안 낳아버림으로써 허망한 종의 의지에 대항하는 용감무쌍한 인식의 딸들도 얼마든지 볼 수 있고, 한편 자기네 처자식을 더 배불리 먹여 살리려고 목숨까지 걸고 남의 나라로 쳐들어가 사람을 죽이고 재물을 빼앗아 오는 짐승 같은 종의 의지의 아들들은 더욱더 많으니 남자는 인식 쪽이고 여자는 의지 쪽이라고 딱 잘라 말할 수는 없다. 그저 그동안 인류의 역사를 훑어보니 사람의 인식 능력을 계발해온 사람들이 여자보다는 남자 쪽에 더 많더라는 정도다. 그나마도 종교, 철학, 예술, 과학 같은 인식의 분야에서 위대한 업적을 남겨 인류 발전에 공헌했다는 남자들의 대부분이 저보다 힘이 약한 나라에 서슴지 않고 쳐들어가 재물을 긁어모은 강대국에서 많이 나왔고 그들의 업적도 또한 인식이라는 사치스러운 일을 단념하고 묵묵히 삶의 고통을 견디며 자식을 길러주는 여자들의 뒷바라지 덕택임을 생각해보면, 인식은 잘 실현된 의지 위에 자리 잡게 된다고 보아야 할 것 같다.

여기서 평소의 내 생각이나 얘기하고 이 알쏭달쏭한 문제에 관한 얘기를 끝맺기로 하자.

나는 남자니 여자니 하는 얘기가 나오면 맨 먼저 떠오르는 것이 '우리나라 남자'와 '우리나라 여자'다. 그리고 이어서 우리나라 남자 생각을 하면 '병신들!' 하는 소리가 저절로 입에서 나오고 우리나라 여자 생각을 하면 '불쌍하고 미안하고 고맙다'는 느낌에 금방 사로잡히곤 한다. 특히 내 가슴에 떠오르는 여자는 비너스도 아니고 이브도 아니고 미국 여자도 아니고 일본 여자도 아니고 남북한에 사는 우리나라 여자들뿐이다.

더구나 그 모습은 기미가 끼고 햇볕에 그은 얼굴에 땀방울이 송골송골 맺혀 있고, 무슨 답답한 사연 때문인지는 몰라도 옷고름이 풀어져서 젖가슴이 나왔는지 바지 옆구리의 지퍼가 열려서 팬티 자락이 보이는지도 모르고 허둥지둥 이리 뛰고 저리 달려가는 모습이다. 이건 분명히 남자가 충분히 돈을 대주어 자식을 기르면서 만족해하며 사는 여자의 모습은 아니다. 의지에 충실한 여자답게 자식을 먹여 살리긴 살려야겠는데 그게 뜻대로 되지 않아서 허둥지둥하는 모습이다.

쇼펜하우어의 말대로 여자가 인식보다 종의 의지에 따르는 존재라면, 여자는 종의 의지가 시키는 대로 남자와 열심히 성교하고 자식을 낳고, 그 자식을 튼튼하게 먹여 키울 수 있을 때 행복을 느낄 것이다. 그런데 종의 의지는 자식을 먹여 키우는 일을 여자한테만 떠맡긴 것이 아니고 그 자식을 만드는 일에 협력한 남자한테도 떠맡긴다. '남자한테도'가 아니라 오히려 자식 낳는 일을 여자한테 맡긴 대신에 그 자식을 먹여 살리는 일의 몫을 여자보다 남자한테 좀 더 많이 떠맡겼다고 해야 할 것이다.

말하자면 남자와 여자가 인식의 편이 되어 '자식을 만들라'는 의지의 명령을 거역하고, 처음부터 자식을 안 만들어버렸다면 의지가 떠맡긴 부담을 뿌리쳐버려도 아무렇지 않지만 어차피 의지가 시키는 대로 자식을 만든 터에는 그 후에도 의지가 시키는 대로 자기 몸이야 병신이 되든 빨리 늙어가든 자식을 먹여 키우는 데 딴생각 없이 충실히 하는 것이 조리에 맞고 행복해질 수 있는 일이다. 그리고 그 조리가 깨질 때 불행해진다고 해야 할 것이다. 그러니까 내 가슴에 떠오르는 우리나라 여자의 모습이 불행한 모습이라고 하면 그 불행은 조리가 깨어진 데서 생긴 불행이고 조리가 깨어졌다는 말은 자식을 만들 때까지는 의지의 명령을 고분고분하게 따르던 남자와 여자가 자식을 만든 후에는 갑자기 변덕을 부려 지금까지와는 달리 의지의 말을 잘 안 듣고 인식의 편으로 도망쳤다는 말이 된다.

남자와 여자 중에서 누가 그런 배신을 했을까? 특히 우리나라 남자와 우리나라 여자 중에 의지를 배신한 것은 어느 쪽일까? 물론 역사를 보면 남자다. 우리나라 여자들에게 자식들과 함께 편안히 세끼 밥을 먹으며 행복감을 느낄 수 있도록 해주지 못한 것은 우리나라 남자들이 종의 의지가 던져준 달콤한 미끼를 덥석 따먹어 자식을 만들어놓고는 그러고 나서야 아차 하며 자기만 윤리니 철학이니 예술이니 이데올로기니 하는 쪽으로 살짝 도망쳐서 의지가 시키는 '자식 먹여 살리는 일'에 소홀했기 때문이다. 이런 배신 행위는 의지의 미움을 받게 될 것은 말할 것도 없고 도망쳐간 인식 쪽에서도 별로 환영받지 못해 남자 자신도 여자도 그리고 그 자식들도 불행해지기 마련이다.

우리나라 역사를 보면 조금이나마 행복해 보이는 부분은 남자들이 아예 인식의 편이 되어 머리 깎고 중이 되어 자식을 안 만들고 불국사나 석굴암을 짓고 팔만대장경이나 만들어내던 부분이고 또 한편 철저히 의지의 편이 되어 자기 목숨을 바쳐서라도 자식을 무사히 지키고 남의 것을 빼앗아서라도 배불리 먹여야겠다고 떨치고 나섰던 광개토대왕이나 이순신 장군이 있었던 부분 정도다.

불행은 항상 남자들이 자식을 만들어놓고 인식 쪽으로 도망쳤을 때 생겼다. 문화다운 문화를 만들지도 못하고 짐승처럼 별걱정 없이 튼튼하게 살아보지도 못한 채로 여자들과 자식들만 고생시킨 것은 늘 처자식이 있는 남자들이 처자식 먹을 것은 장만해놓지도 않고 유교니 공산주의니 자유주의니 하는 따위의 인식에 턱없이 빠져서 헤어나지 못하고 허우적거릴 때인 것이다.

하기야 이렇게 얘기하는 나 자신도, 처자식이 있으면서 인식 좋아하는 한국 남자답게, 텔레비전이나 라디오에서 '잘살아보세 잘살아보세 우리도 한번 잘살아보세'라는 합창곡이 나오면 '암, 그래야지' 하는 생각보다는 삼천만이 갑자기 거지가 된 듯한 착각이 들며 그 노래가 '거지 합창곡' 같아서 나 스스로에 대한 혐오감부터 앞서곤 한다.

그러나 이 노래는 우리에게 '의지냐 인식이냐 분명히 선택하지 않으면 불행해진다. 예술이나 학문을 하고 싶으면 아예 처자식 둘 생각을 말고, 처자식을 뒀으면 우리가 지금 아이에게 고기도 제대로 못 먹이고 공부도 제대로 시킬 수 없을 만큼 가난하다는 사실을 똑바로 인식해 외면하지 말고, 우선 가난에서 벗어날 일부터 하고 보자'는 충격을 주는 데는 좀 상스럽긴 하지만 효과 만점인 노래임이 틀림없을 것이다. 거지가 거지 신세에서부터 벗어나려면 우선 자기가 거지라는 사실을 깨우쳐야 할 테니까 말이다.

우리나라 남자를 떠올리면 생각나는 것이 역사책에 나오는 왜구라는 일본 남자들이다. 기록에 있는 것만 가지고 따지더라도 신라 시대부터 최근까지 우리가 왜구라고 부르는 일본 남자들은 거친 바다를 건너 우리나라에 쳐들어와 재산을 빼앗아 가고 사람을 잡아다 부려먹었다. 무슨 고상한 인식 때문이 아니라 순전히 자기네 처자식 호강시키려고 남자들이 목숨을 걸고 배를 저어 왔었다. 똑같은 바다를 사이에 두고 왜 우리나라 남자들은 건너가서 빼앗아 오지 못했을까? '우리는 그런 짓을 하지 않고서도 충분히 처자식을 먹여 살릴 수 있었으니까' 하고 대답할 수 있으면 참으로 좋겠지만 기록을 보면 천만의 말씀이다.

물론 하찮은 쥐들까지도 먹을 것이 정히 없을 때가 아니면 결코 자기네들끼리 죽이는 일이 없는데, 하물며 사람들이 자기 먹을 것을 위해서 다른 나라 사람을 죽이는 짓을 해서는 안 될 것이다.

호랑이가 제 새끼를 위해서 열심히 토끼나 사슴을 잡으러 다니듯이 사람도 제 자식을 위해서 열심히 해야 할 것은 자식들이 먹을 곡식을 재배하고 가축을 기르는 일이지 다른 사람을 죽이는 것이어서는 안 될 게 틀림없다. 그러나 처자식 먹일 것을 장만하지 못했으면 남의 것을 빼앗아서라도 먹여야지 먹일 게 없다고 '나는 인식 쪽으로 갑니다' 해버리면 곤란하다는 얘기다.

　나는 요즘 영화 각본을 쓰느라고 한 여관에 방을 빌려 들어 있는데 내 이웃 방들에는 일본 남자들이 많이 들어와 있다. 밤이 되면 그들을 상대로 해서 몸을 파는 한국 여자들이 들락거리는데 나는 한국 남자로서 그 여자들에게 '참 불쌍하고 미안하고' 그런 짓을 하면서까지 살아보겠다고 하는 데 대해 '고맙다'고 할 수밖에 없는 비통함을 안 느낄 수 없다. 드러내놓고 말하기가 부끄러운 얘기지만 현실을 있는 그대로 볼 수 있어야만 현실을 뚫고 나갈 수 있다고 생각한다.

　그러나 우리에게도 희망은 있다. 옛날 왜구들이 자기네 처자식을 사랑하기 때문에 처자식과 이별하고 목숨을 걸면서까지 우리나라에 쳐들어왔듯이, 우리나라 남자들도 이젠 처자식을 사랑하기 때문에 처자식과 이별하고 먼 나라로 일하러 가는 것을 두려워하지 않고 예사로 알기 시작했다. 그러면 희망이 있는 것이다. 적어도 의지에 따라 살기로 약속한 사람들은 행복할 수 있다.

물론 사람만이 가진 위대한 능력인 인식을 택한 사람다운 사람들은, 사람이라면 누구나 나누어 받은 인식의 능력을 포기하고 종의 의지가 던져준 미끼에 속아 처자식에게, 또는 남편과 자식에게 매달려 그들을 불행하게 하지 않으려고 무슨 일이든지 두려워하지 않고 목숨을 거는 사람들을 비웃을지도 모른다. 그러나 철저히 인식 편에 섬으로써 행복해진 사람들의 비웃음을 받아야 할 사람들은 철저히 의지에 따라 살아감으로써 행복해진 사람들이 아니라, 의지의 달콤한 미끼에도 걸리고 인식의 위대한 능력에도 매력을 느껴 갈팡질팡하며 날이면 날마다 의지에 철저한 남의 나라 남자들에게 침략이나 당하고 자기네 여자들이 몸을 팔지 않을 수 없게 하고, 자식들한테 고기도 제대로 못 먹이고 그렇다고 내세울 만한 문화의 업적도 만들어내지 못하는 그런 남자들이다.

또 비웃음을 받아야 할 사람은 남편이 먼 나라에까지 나가서 목숨의 위험까지 무릅쓰고 일해 번 돈으로 의지와의 약속대로 자식을 정신적으로나 육체적으로 튼튼하게 키우는 일에 충실하지 않고 춤이나 추러 다니며 외간 남자들하고 어울려 돌아가고 골방에 모여서 화투나 치고 보석가게나 기웃거리는 여자들이다.

　남자와 여자는 서로 다르게 만들어졌지만 종의 의지의 이불 속에서 만나 행복한 한 몸이 되거나 인식의 우아한 전당에서 만나 행복한 동지가 되거나 할 수 있다.

낮은 음성의 위로

위로와 격려

거리에 나갔다가 B양을 만났다. 텔레비전 탤런트인 그 여자는 항상 경박해 보일 정도로 표정이 명랑했는데 그날은 몹시 우울해 보였다. 방송국의 높은 양반한테 굉장한 야단이라도 맞은 모양이라고 멋대로 짐작하고 차나 한잔할까, 하고 권했더니 묵묵히 내 뒤를 따라왔다.

우울한 표정의 친구를 길에서 보게 되면, 제일 좋은 방법은 그 친구가 이쪽을 미처 발견하기 전에 슬쩍 지나쳐버리는 것으로 생각하는 사람들이 점점 많아지는데, 내 생각으로 그건 역시 최하의 방법일 것 같다. 너무 명랑 쾌활한 표정으로 그 우울한 친구를 대하는 것도 그 친구의 소외감만 더 자극할 뿐이어서 별로 훌륭한 방법은 아닐 것 같고…….

내 의견으로 가장 좋은 방법은 이쪽의 시간과 호주머

니 사정만 허락한다면, 그 우울한 친구를 다방으로 안내해 레지에게 조용한 음악을 신청하고 뜨거운 차를 마시며 잡담을 시작하는 것이다. 그러다가 그 친구가 문득 내켜서 자기가 우울해하는 원인에 관해 얘기를 꺼내면 열심히 들어주고, 또 별로 신통한 의견이 아닐지라도 열심히 지껄여주는 것이다. 그것으로 그 친구의 고민이 풀리지는 않겠지만, 적어도 자기의 당면한 고민을 자기의 인생 전체에 비교해볼 수 있는 여유를 가지게는 될 것이다. 아니 그런 여유를 가질 때까지 이쪽은 열심히 지껄여주고 해야 한다.

요즘 우리가 가장 결핍을 느끼는 건, 물론 돈이기도 하지만, 그보다도 위로나 격려가 아닐까? 저 살기에 바쁘다 보니 남을 위로해주거나 격려해줄 여유가 어디 생기느냐고들 하지만, 사람들이 저 살기 바쁜 것은 옛날이나 지금이나, 서양이나 동양이나 마찬가지다. 그런데도 어느 시대 사람들은 무척 다정다감했고, 어느 나라 사람들은 서로서로 아낀다고 얘기할 수 있는 것을 보면 '살기에 바쁘다 보니'라는 것은 그럴듯한 이유가 되지 못할 것 같다.

어떤 까닭인지 우리나라 사람들은 대부분 위로나 격려의 말을 듣고 싶어는 하면서도 남한테 해주는 것은 낯간지러워한다. 원래 성품들이 소박해서 그따위 간사스러운 소리는 할 줄 모른다고 할는지 모르나, 내 경험으로는 정말 소박한 사람들이야말로 남이 우울해할 때 위로해줄 줄 알았다. 그런 말 하기를 낯간지러워하는 사람들은 소박한 게 아니라 자기가 천재인 줄 착각하는 사람들 아니면, 남한테 무시만 당하고 살다 보니 속이 비뚤어질 대로 비뚤어진 바보들이었다.

위로나 격려의 말은 뭐 모성애처럼 그렇게 어마어마한 사랑이 없더라도 조그마한 사랑만 있어도 얼마든지 할 수 있다. 전연 사랑이 없어도 조그마한 친절만으로 할 수 있는 게 위로요 격려다. 돈처럼, 주고받는 데 무슨 까다로운 조건이 붙는 것도 아니다. 말하자면 공짜로 주어도 아깝지 않은 것이다. 그것은 받는 사람으로서는 위로나 격려의 말 한마디 때문에 이 지구 위에 사는 것이 기쁘고, 남들이 악마가 아니라 천사로 보이고 자기도 앞으로는 남의 불행에 무관심하지 말아야겠다고 결심하게 된다는 걸 생각하면 더욱 아깝지 않다.

더구나 위로나 격려의 말의 이상스러운 점은, 그것이 아무리 들어도 그다지 싫증 나지 않는다는 것이다. 물론 종로에서 남대문까지 가는 동안 그런 말을 백 번쯤 들었다면 나중엔 약간 피곤하고 귀찮아져서, 자기에게 또 그런 말을 해줄 게 틀림없어 보이는 사람이 저쪽에 보일 때

얼른 샛길로 피해버리게 될는지도 모른다. 그만한 정도의
짜증은 무관심이나 험담을 겪는 것에 비하면 전연 고통이
아니다.

그러므로 나로서는 금방 굉장한 기적이나 이루어놓을
듯이 큰소리 뻥뻥 치는 정치가보다는 부드러운 음성으로
이렇게 이야기할 수 있는 사람에게 한 표를 던지고 싶은
것이다.

"여러분, 어렵지만 함께 어떻게 견뎌봅시다. 좋은 때가
오겠지요."

높은 음성 낮은 음성

주위를 둘러보면 사람들의 음성은 점점 높아만 간다.
마치 음성이 낮은 사람들은 모두 사라지고 음성 높은 사
람들만 살아남은 세상 같다. 물론 낮은 음성보다는 높은
음성이 얼핏 귀에 먼저 들리니까 그런 생각이 드는지도
모른다. 그렇다고 하더라도 하나의 높은 음성이 다른 음
성을 높게 하고, 그 음성이 또 다른 음성을 높이는 현상이
벌어지는 것은 틀림없다. 점점 위로나 격려의 말을 하기
에는 알맞지 않은 음성들이 돼가는 것이다.

우리 집안을 돌아보면 할머니 음성보다는 어머니의 음성이 높고, 어머니의 음성보다는 아내의 음성이 높고, 아내의 음성보다는 시누이의 음성이 높은데, 그중에서 위로나 격려의 말에 가장 어울리는 음성은 가장 낮은 할머니의 음성이다.

사실 위로나 격려의 말을 골목길의 행상처럼 큰 소리로 떠들 수는 없다. 그런 목소리로 격려의 말을 외치는 것은 축구나 권투 시합의 응원석에 엉거주춤한 자세로 있을 때뿐이다. 높은 음성에 자기도취는 담을 수 있어도 남을 향한 사랑이나 친절은 담을 수 없다.

음성이 너무나 낮은 자는 악한이나 신부님처럼 속이 음흉하고 계산이 심해서 신용할 수 없다고들 하지만, 그래도 자비를 구할 수 있는 것은 그 사람들한테서이지 자기도취에 사로잡혀 높은 음성으로 깡깡대는 사람들한테서는 아니다. 높은 음성이 시원하게 들리기는 할지라도 이쪽을 고독하게 만들고 결국 이쪽을 골탕 먹이는 것은 항상 그런 음성이다.

나는 말이 없는 사람과 마찬가지로 음성 높은 사람에게서 한 번도 지속적인 친절, 창조적인 사랑을 발견해본 적이 없다. 그들은 변덕스럽다.

그들은 때때로 가장 강렬한 사랑을 타인에게 보내지만,

그것은 불꽃과 같아서 잠깐 아름다웠다가 곧 견딜 수 없이 캄캄한 밤하늘을 보여주는 것이다. 불꽃은 어디까지나 구경거리이지 그것의 밝음을 믿고 우리가 낯선 밤길로 선뜻 걸음을 내디딜 수 있는 조명은 아니다. 낯선 밤길에서 우리의 걸음을 불안과 공포로부터 보호하는 것은 차라리 갓이 깨어진 가로등, 그을음 피우는 석유 호롱불일 것이다.

낮은 음성으로 무언가를 열심히 말하려고 애쓰는 사람들에게서만 우리는 위로를 받을 수 있고 격려받기를 기대할 수 있다. 어차피 외롭게들 살아야 하는 이 세상에서 그 외로움을 더 키우지 않고 조금씩이나마 서로 덮어주고 덮어보려고 한다면, 우리는 지금보다 음성을 조금씩 낮추어야겠다고 나는 생각한다.

B양의 경우

B양의 이야기를 계속하자.

B양은 나와 만나기 수십 분 전에 여학교 때 가까이 지내던 친구 몇 사람과 한 대중음식점에서 점심을 함께했다. 여학교를 나온 이후로는 각자의 생활이 달라져서 그동안 자주 만나지 못한 친구들이었다. 가정에서 시집갈

준비나 하던 친구도 있고, 직업 여성으로 진출한 친구도 있고, 대학에 진학한 친구도 있었다. 대학을 다닌 친구들도 구체적으로 따져보면 여러 가지였다. 이른바 일류 대학을 무사히 마친 친구, 그 일류 대학을 중퇴하고 결혼한 친구, 야간대학에서 겨우 졸업장이나 딴 친구……

말하자면 대학교 졸업 이후 몇 년 동안은, 그들은 피차 너무 다른 생활들을 했으므로 가령 모두 함께 모일 기회가 있었다 하더라도 공통된 화제를 찾기 힘들었을 테고, 또 한 친구가 느끼는 우월감과 다른 친구가 느끼는 열등감의 간격이 아주 깊고 복잡해서 사실 만나봐야 좋은 기분으로 헤어질 수는 없었으리라.

그러나 대학을 다닌 친구들이 모두 졸업을 하고 나니까 사정은 조금 달라졌다. 어떻든 외면적으로는 형편들이 모두 비슷비슷해진 것이다. 꼼꼼히 나눠봐도 세 가지 신분뿐이었다. 직장에 나가는 친구, 시집간 친구, 아직 집에서 노는 친구. 그리고 화제는 더욱 집중되어 모두 한창 결혼에 관련된 것들에 관심이 쏠리는 형편이 되었으므로 그들이 한자리에 모여 점심을 하게 되었다는 것은 어쩌면 아주 당연한 일이었다.

B양도 한 친구에게 전화 연락을 받고 그 자리에 참석할 것을 기쁘게 약속하고 약속 장소와 시간을 단단히 기억해

두었다가 오늘 그 자리에 나간 것이었다.

B양은 지금은 비록 탤런트로서 성공 중이지만 여학교 졸업 이후 그동안의 형편을 다른 친구들과 비교해보면 결코 행복한 편은 못 되었다. 많은 굴욕을 견뎌야 했고, 여러 가지 오해를 받기도 했고, 산다는 것에 대한 환멸감과 자기의 앞날을 생각할 때 깊은 좌절감을 느낀 적이 많았다. 사실은 지금도 그렇다. 남들은 그 여자가 수입도 꽤 좋고 자기 일에 완전히 만족하는 줄로 알지만 결코 그렇지 않다. 거리에 나가면 지나가는 사람들이 그 여자를 몇 번씩이나 돌아보고 가는 데서 자기의 허영심을 약간 만족한다는 정도뿐이다. 그리고 카메라 앞에서 자기가 맡은 역을 잘해내기 위해서 자기 자신조차 완전히 잊어버릴 정도로 긴장해 있을 때만 자기 일에 보람을 느낀다는 정도다. 그 외는 모두 불만투성이였다. 특히 사람들의 연기자에 대한 인식의 그 무자비한 점은 딱 질색이었다. 그 여자로서는 이렇게 말하고 싶었다. "뭐 예술가로서 존경해달라는 것은 아닙니다. 회사의 경리 사무원이나 양장점의 디자이너를 대하듯 한 명의 직업 여성으로만 생각해주시기 바랍니다."

그러나 사람은 대부분 그 여자와 막상 얼굴을 대하고 이야기할 때는 괜히 흥분해 좋아서 떠들어대지만 돌아서

서는 마구 깎아내리고 경멸했다. 사람들의 그 변덕, 그 주책을 그 여자는 이해할 수가 없었다.

　친구들과의 모임에서도 그랬다. 이쪽은 원하지도 않는데 모두들 약속이나 한 듯이 B양만 에워싸고 연예계에 대해 이것저것 질문 공세를 펴는 것이었다. 그 여자로서는 그런 얘기보다는 결혼한 친구들의 시집살이 얘기를 듣는게 훨씬 좋았으나, 친구들의 호기심을, 자기도 옛날 그런 호기심을 가졌던 때가 있었으므로 이해할 수 있어서 친구들의 물음 하나하나에 열심히 대답해주었다.

　너무 열심히 대답한 게 잘못이었던 모양이다. 친구들은 그 여자가 마치 신이 나서 자기 자랑이나 하는 줄로 알았는지 차츰 좌석의 분위기가 어색해졌다. 그 여자는 차츰 개밥에 도토리같이 되어갔다. 그 여자를 일부러 무시하고 자기들끼리만 소곤소곤, 계를 하나 조직하려는데 들지 않겠느냐느니, 며칠 후가 첫아이 백일인데 꼭 오라느니를 하는 것이었다. 그래도 그 여자는 비슷한 경험을 많이 겪었으므로 억지로 참고 친구들의 화제에 어울리려고 애썼다. 그런데 설상가상으로 모임이 거의 파할 무렵에야 나타난 친구가 우울해 있는 그 여자를 더욱 여지없이 짓밟아버렸다.

　몇 년 만에 만난 그 친구는 늦은 변명도 하는 둥 마는

둥 비록 웃는 얼굴이긴 하지만 대뜸 B양을 향해 "너 출세했더라! 이젠 빚 좀 갚으렴" 하는 것이었다. 그 친구의 말에 다른 친구들은 마치 B양이 화냥질했다는 얘기라도 들은 듯 표정들을 크게 지어서 일제히 B양을 주목했다.

아닌 게 아니라 B양은 그 친구에게 3천 원쯤 빚이 있었다. 몇 년 전, 그때는 B양의 그야말로 청색 시대였는데 그 친구가 양장점에 옷을 맞추러 갈 때 동행한 적이 있었다. 양장점에서 그 친구는 혼자 옷을 맞추는 게 B양 보기에 미안했던지 계약금은 자기가 빌려줄 테니 마음에 드는 감이 있으면 옷 한 벌 맞추라고 자꾸 권했다. 양장점 주인 여자 역시, 물론 팔아먹기 위한 욕심에서겠지만, B양의 옷맵시가 디자이너로서 정말 탐난다느니 어쩌니 해가면서 B양에게 한 벌 맞추기를 졸라댔다. 양장점 안에서 약해지는 여자의 마음이란 술집 안에서 헤퍼지는 남자의 마음과 같다. 마침 탐나는 옷감이 있기도 하여 B양은 찾을 돈이야 어떻게 되겠지 하고 눈을 질끈 감아버렸다. 그러나 한창 곤란한 처지였던 그 여자는 끝내 그 옷을 찾아 입어보지 못한 채 계약금을 빌려준 친구에게 빚만 져버렸다. 그리고 분명히 B양의 실수인데, 그동안 그 빚을 까맣게 잊어버리고 있다가 지금 그 친구가 말하니까 문득 생각난 것이었다.

"얼마 안 되는 돈이지만 말이야, 아무리 친한 사이에도 돈거래는 깨끗해야 하는 거야, 그렇잖니?"

늦게 온 친구는 홍당무가 되어 있는 B양에게 타이르듯 말했다. B양은 그 자리를 더 견딜 수가 없어 마침 갖고 있던 돈을 던지다시피 주고 뛰어나와버렸다.

듣고 보니 과연 B양이 우울해하는 것은 당연했다. B양의 얘기가 사실 그대로라면 누구나 곧 그 돈을 빌려준 친구가 B양의 자존심을 일부러 긁어서 모욕하려고 했다는 것을 알 수 있을 게다.

나는 그 여자의 우울을 위로하기 위해서 빤한 말은 하고 싶지 않았다. 뭐, B양 자신이 인정하듯이 일차적인 잘못은 B양에게 있다느니, 그렇지만 그 여자도 너무했다, 돈을 돌려받는 게 목적이었으면 다른 사람이 없는 곳에서 좋은 말로 해도 되는 게 아니겠느냐느니, 아니 그보다도 그동안 B양에게 빚 갚을 기회를 줄 수도 있지 않았겠느냐느니, 또는 그 친구가 왜 B양을 모욕하려고 했는지 그 심리를 이해할 수 있지 않겠느냐, 자기보다 못났다고 생각한 친구가 유명해지고 돈도 많이 버는 것 같고 하니 일종의 자기방어 본능이 발동한 것이 아니겠냐, 그 심리를 이해하면 그 친구를 불쌍하게 생각할 수 있어도 야속하다 생각지 말라느니, 그 친구는 잃어버렸지만 당신한테는 더 좋은 친구가 얼마든지 있지 않느냐느니, 아니 그 친구 역시 잃어버리고 싶지 않다면 어느 때 기회를 만들어서 깜빡 잊어버리고 갚지 못한 것이지 일부러 갚지 않은 것은 아니라고 정식으로 사과하고, 그리고 오늘의 이만한 성공이나마 있게 된 것은 결코 운이 좋아서만은 아니다, 실은 그동안 이만저만한 고생과 노력이 있었다는 것을 그 친구가 알아들을 수 있도록 얘기해 다시 그 친구와 친하게 지낼 수도 있지 않겠느냐느니 하는 따위의 말은 B양 자신더러 해보라고 해도 얼마든지 할 수 있는 말 같아서 하고 싶지 않았다.

사태를 분석해놓았다고 해서 사태가 수습되는 것은 아니다. 악화된 감정을 이성의 차가운 힘으로 달랠 수 있는 사람이라면 그 사람은 이미 남의 충고나 위로가 필요 없는 구제받은 사람이다. 대부분의 사람이 그러하듯 B양도 어중간한 사람 중 하나였다. 즉, 아주 무지하고 단순해서 만사에 자기만이 옳다고 우겨대는 원시인도 아니고 반대로 자기에게 잘못이 있음을 인정하며, 그 자기 잘못 때문에 생겨난 다른 사람의 잘못을 용서해주고 싶어지는 '전근대적'인 사람도 아니었다. 알 것은 다 알면서 화는 화대로 참지 못하는 '현대인'에 불과했다.

그러한 B양을 향해서 B양 자신도 아는 것을 새삼스럽

게 내 입으로 얘기해 달래보려는 것은, 물론 약간의 효과도 없진 않겠지만 오히려 '내 입장은 이렇고, 고로 나는 이토록 이성적인 사람이니 더는 나한테 너의 불행을 호소하지 마라'는 것밖에 되지 않는다. 그것은 남의 불행에서 발뺌하는 이기적인 수작이지 위로가 아니다. 위로란 설교하는 것이 아니라 남의 불행을 함께 아파해주는 것이다.

그렇다면 어떻게 하는 것이 함께 아파해주는 것일까? 그것은, 사실은 나도 잘 모르겠다. 내가 B양을 향해서 위로한답시고, 그리고 격려한답시고 한 말은 겨우 다음과 같은 것이었다.

"잊어버리시오. 우리나 그 친구 같은 짓을 하지 맙시다. 그 친구, 어차피 제 명대로 살지 못할 사람 같으니……."

이게 가장 좋은 위로의 말이었다고는 나 역시 생각하지 않는다. 그 여자에게 필요한 말은 무엇이었을까. 아아, 산다는 것은 정말 어렵다.

미인대회와 공상

왜?

미스코리아 선발대회에서 가장 영광스러운 '미스 진'으로 뽑힌 아가씨가 실은 기혼녀였음이 나중에 드러나서 그만 실격당하고 만 사건은 실격당한 본인을 위해서나, 많은 경비를 오로지 헛수고를 하기 위해서 쓴 셈이 돼버린 선발대회의 주최 측을 위해서나, 그리고 뭣인가 속은 듯 씁쓸한 기분에 젖은 우리 구경꾼들을 위해서도 참으로 불행한 일이 아닐 수 없었다. 많은 사람이 그랬지만 나 역시 그 아가씨가 기혼녀임을 폭로하는 주간지들의 그 기승부린 기사들을 읽으면서 지금쯤 몹시 창피해하고 있을 본인이 상상되어 딱하다는 느낌 때문에 견딜 수 없을 지경이었다.

결혼한 여자가 왜 그런 데 나왔을까? 설마 뽑히지 않을 자신이 있어서 나왔을까? 자신의 용모가 어느 정도의 점수를 받을 수 있는지 정식(?)으로 확인해보고 싶다는 단순한 호기심에서 나왔을까? 그렇기만 했다면 '미스 진'으로 뽑히자마자 아아, 이렇게라도 했더라면 얼마나 근사했을까! 관과 트로피를 점잖게 사양하고 나서 어리둥절해하는 사람들을 향해 큰 소리로 외친다.

"여러분, 여러분은 저한테 속았습니다. 저는 '미스'가 아니라 '미시즈'예요. 속여서 대단히 미안합니다. 하지만 저는 제가 얼마나 아름다운지 시험해보고 싶었죠. 젊은 여자라면 누구나 이런 자리를 통해 자기 아름다움을 재보고 싶을 거예요. 다만 자기가 굳게 믿는 자신의 아름다움이 다른 사람과의 비교 때문에 그나마 잃게 될까 두려워하는 마음과 그리고 대중 앞에 육체를 선보인다는 것은 얌전치 못한 여자나 할 짓이라는 인습적인 사고방식이 이런 자리를 통해 자신의 아름다움을 재보고 싶은 욕망을 눌러버리는 것뿐이겠죠. 여러분, 그러나 저는 제가 해보고 싶은 대로 해봤을 뿐입니다. 그리고 성공한 것입니다. 여러분, 저한테 박수를, 호호호호……"

아마 정신병자라는 의심을 받고 병원으로 실려 갔을는지는 알 수 없으나, 그래도 차라리 그편이 얼마나 좋았을까! 말썽꾸러기인 아웃사이더를 자기네 사치품의 하나로 귀엽게 간직해주는 취미가 대중들에게는 있으니까 말이다. 그뿐 아니라 미인 선발대회라는 행사 자체를 못마땅해하는 사람들이 있다면, 그들로부터는 미인 선발대회를 풍자적으로 조롱했다는 뜻에서 영웅 대접을 받기조차 했을지도 모를 일이다.

그러나 이건 어디까지나 종이 위에서 내 멋대로 꾸며본 헛된 공상에 불과할 뿐 알려진 사실들만으로 짐작해보면, 그 여자가 미스코리아 선발대회에 기대한 것은 더욱 절실하고 더욱 심각하고 더욱 현실적인 어떤 것이었던 것 같다. 그 어떤 것이란 무엇인가? 가령 그 여자는 자신의 인생을 수정해보려 했던 것은 아닐까?

아마⋯⋯

아닌 게 아니라 미스코리아 선발대회는 기적을 부리는 요술쟁이 같은 존재다. 사회자가 뽑힌 사람의 이름을 부르는 그야말로 눈 깜짝할 순간이 지나고 나면 문득 이름 없던 한 아가씨가 대중들의 기억에 화려하게 새겨지며, 골목 속의 한 평범한 아가씨가 궁전 같은 호텔의 파티에서 상류사회 인사들의 귀여움을 차지하고 공주 같은 존재가 되는 것이며, 그리고 호화로운 외국 여행을 즐길 수 있고 마침내는 재산 많은 집안의 막내 며느님으로 모셔지게 되는 것이다.

뭐 꼭 그렇다고는 할 수 없을지라도, 요컨대 어떻게 될는지 알 수 없어 불안하고 초조하던 한 처녀의 장래가 매우 유리하게 보장받게 되는 것은 거의 틀림없다. 그것도 특별한 기술이나 엄청난 학식이 있어서가 아니라 다만 선천적으로 타고난 육체가 그럴듯하다는 이유만으로 말이다.

자기가 지닌 어떤 능력 때문에가 아니라 있는 그대로의 자기로 남에게 인정받고 싶어 하는 것은 인간들이 지닌 영원하고 간절하고. 그러나 현실 속에서는 이루어지기 힘든 꿈임을 고려하면 미인 선발대회는 얼마나 희한하고 멋들어진 것이랴! 아주 불공평하고 비현실적이고, 거의 우연이며 지극히 개인적인 저 미인대회의 특징들이야말로 바로 우리가 인생에 대해 생각할 때 곧잘 절망감에 빠지는 이유, 이성과 본능을 총동원해 빠져나오려고 안간힘 쓰는 바로 그 함정임을 생각하면 바로 그런 부정적인 요소들을 배합해 꿈을 성취시키는 미인대회야말로 마력적인 것이 아닐 수 없다.

그러므로 그것이 현대 젊은 여성들 간에 동경의 대상, 적어도 관심과 흥미의 대상이 되어 있는 것은 매우 당연한지도 모른다. 거기에 자기 운명을 걸어보는 여성이 있는 것도 나무랄 수 없는 일이다.

최고의 미인이 아니라도 자기 능력만으로도 과히 나쁘지 않은 장래가 예견되는 똑똑하다는 여자도 그러하다. 하물며 앞으로의 자기 일생이 무의미하게 생각되거나 캄캄한 어둠 속을 내다볼 때처럼 불안하게 여겨지고, 그런데 그것들을 타개해 나갈 변변한 능력이 없는 사람이 화려한 장래를 약속해줄 것만 같은 어떤 것이 가까이 있을 때, 비록 그것이 상당한 무리를 각오해야 하는 줄 알면서도 한 번쯤 그것의 유혹에 져보기로 한다는 것은 오히려 자연스러운 게 아닐까?

누구에게나 자신의 인생을 행복하게 할 권리가 있다. 행복해지기 위해 지금의 자기 삶을 수정해야 할 필요를 느낄 때가 있는 법이기도 하다. 아니 끊임없이 자기 처지를 수정하려는 동물이 바로 인간이다. 더럽고 작은 집에서 훨씬 깨끗하고 큰 집으로 이사하려고 열심히 저축하는 아낙네, 3년이나 사귄 남자에게 어느 날 갑자기 절교를 선언하고 다른 남자와 데이트를 시작하는 여대생, 정든 부모 몰래 마을을 빠져나와 서울행 기차를 타는 시골 소녀, 모두 잠든 깊은 밤중에 마당에 나와 땀을 뻘뻘 흘리며 줄넘기를 하는 뚱뚱보 여고생, 자살하는 창녀, 재혼하는 과부…….

잘못되었다고 생각되는 지금의 처지를 수정해보려는 욕망이야말로 인간의 욕망 중의 욕망, 가장 강력하고, 그 자체로서는 선하지도 악하지도 않은 가장 순수한 욕망으로서, 이 욕망만큼은 예수님도 부처님도 공자님도 결코 뛰어넘지 못했다.

우리는 그러므로 만약 그 여자가 그런 욕망으로써 미인대회에 나온 것이라면, 그 여자가 가슴속에 은밀히 숨긴 그 욕망에 대해서는 조금도 탓할 수가 없다.

미인대회는 게임이다

그러나 잠깐.

우리는 다른 모든 일에 대해서 그러하듯 미인대회에 대해서도 우선 그것이 우리에게 줄 수 있는 이익과 손해를 분명히 알지 않으면 안 된다. 그것의 가치와 한계를 명확히 해야 한다.

미인대회를 맨 처음 생각해낸 사람과 그것을 국제적인 행사로 꾸민 사람들이 그것의 대의명분을 무어라고 내세우든, 우리는 그것을 처녀들의 꿈을 사주하여 만든 하나의 게임 이상으로 보아서는 안 된다. 그렇다. 그것은 상이 약간 두둑한 오락적인 게임 이외의 아무것도 아니다. 남자들 사이에서의 도박 같은 것이다.

노름판에서는 돈을 약간 잃을 각오를 하고 걸어볼 수는 있어도 그것에 자기 전 재산을 걸거나 자기 장래를 걸어서는 안 된다. 전 재산을 걸고 화려한 장래를 기대하며 성공한 사람이 일찍이 있었다 하더라도 그렇다. 왜냐하면 모든 게임의 법칙은 반드시 극히 적은 사람만이 따고 많은 사람이 잃게 되어 있기 때문이다. 그리고 우리는 그러한 것—극히 적은 몇 사람만을 이롭게 하기 위해서 있는 것을 무가치하다고 한다.

이해라는 입장에서만 볼 때는 그토록 무가치한 게임들이 그러나 세상에 수두룩이 있는 것은 그것을 하는 동안 우리는 즐거울 수 있다는 점 때문이다. 이기고 지는 것에 대한 흥미는 인간의 약점인 채로 영원한 본능이다. 그 본능을 노출해 발산해버리자는 데 목적이 있다.

한편 무슨 게임이든 반드시 규칙이 있는 법이다. 이러저러한 규칙, 바로 그 자체가 게임이다. 게임을 즐긴다는 것은 규칙을 즐긴다는 것이고, 게임에 이기고 상을 탔다는 것도 그 규칙 안에 숨어 있는 함정을 뛰어넘어 무사히 목적지에 도착한 노고, 또는 행운에 대한 정당한 보답이다.

싱겁게도 나는 당연한 얘기를 하고 말았지만, 그러나

지난번 사건을 통해 가장 절실하게 생각되는 것이야말로 그 당연한 얘기였다.

우리가 실격당한 그 여자를 두고 딱해하는 이유야말로 그 여자가 게임의 기본적인 규칙 하나를 어겼다는 점이다. 미혼 여성만이 참가해야 한다는 규칙에 걸리고 만 것이다. 미인, 최고의 미인이었음이 틀림없는데……

아니, 나는 그 여자의 잘못을 나무라기 위해 이런 공개적인 글을 쓰는 것은 결코 아니다. 털어놓고 말하자면 이따위 글이 그렇지 않아도 퍽 상심해 있을 그 여자에게 이중의 타격을 주는 결과가 될까 봐 진심으로 걱정스럽다. 그런데도 감히 써 나가는 이유는 그 사건을 통해 단순히 한 여자의 일신상의 문제 이상의 문제, 오늘날 많은 여성이 앓고 있는 문제를 엿볼 수 있는 것 같기 때문이다.

나는 공상한다

비록 오늘날에만 한정되는 얘기가 아니겠지만 많은 여성이 자기는 불행한 생활을 한다고 생각하는 것 같다. 흔히 '보바리슴Bovarisme'으로 불리는, 여성들의 결혼 생활에서 느끼는 환멸감은 우리네 남성들이 상상하는 것보다 훨씬 뼈저리게 깊은 모양이다. 특히 우리나라 여성들의 전통적인 사고방식 속에는 결혼 생활에 대한 피해 의식이 깊게 새겨져 있다.

사실 결혼 전에 우리가 결혼에 대해 기대하는 것은 그것이 즐겁기만 한 사랑 놀음인데, 막상 결혼 생활을 해보면 그것이 중노동을 하기 위한 일터같이 느껴지기 일쑤다. 좋아하는 사람끼리(경우에 따라서는 별로 좋아하지도 않는 사람끼리) 다만 함께 있기 위해 이토록 고된 노동을 견뎌야만 한단 말인가 하는 의심이 들 때가 있는 것도 사실이다. 사랑이라는, 경우에 따라서는 인습적인 풍속이라는 것에 잠깐 속아서 엄청난 고역을 떠맡는 것처럼 생각될 때도 있다. 더구나 물질적으로 풍부하지 못할 때, 그리고 가까운 장래에 풍족하게 되리라는 보장도 없을 때, 그런데 사랑하는 사람과 함께 있는 기쁨도 면역되었을 때 결혼은 지옥 이외에 아무것도 아닌 것으로 생각될 수 있다.

그리고 만약 똑똑한 여자라면 자기 내부에 도사리고 있던 20여 년 동안 감추어두고 아끼고 다듬고 굳힌 독특하고 견고한 자기식의, 자기만의 내면생활이 아무래도 자기의 그것과는 다른 사람의 그것과 가까이 있는 동안 오래 쓴 비누처럼 흐느적흐느적 풀려버려 이제는 자기라고 생각한 것도 없어져버리는 것 같고 그렇다고 그 대신으로 명확한 모습의 자기가 얼른 형성되는 것도 아닌 멍청한 상태를 경험하기란 정말 미칠 일일 것이다. 그럴 때 남편이란 자기를 파괴하는 가해자 이상으로 보이지 않을 수도 있겠지.

아니, 아직 나로서는 결혼 생활만이 유일하고 절대적으로 가치 있는 것이라고 주장할 자신이 없다. 어쩌면 그것 이상으로 가치 있는 삶의 형태가 있을지도 모르며, 적어도 사람에 따라 자기 나름으로 결혼 생활보다 더 가치 있는 삶의 형태를 발견할 수 있다는 가능성을 부정하지는 않는다.

그렇지만 이미 결혼한 젊은 여성들이 자기네 결혼 생활을 다른 형태의 삶보다도 더 가치 있는 것으로 만들어내기 위해 정말 있는 지혜와 정열을 다하는지, 이번 사건을 통해 볼 때 은근히 우려되기 때문이다.

가령 이렇게 했더라면 얼마나 좋았을까 하고 나는 다시 한 번 안타까운 공상을 해본다. 관과 트로피를 점잖게 사양하고 나서 어리둥절해하는 사람들을 행해 큰 소리로 외친다.

"여러분, 여러분은 저한테 속았습니다. 저는 '미스'가 아니라 '미시즈'예요. 속여서 대단히 미안합니다. 하지만 저에겐 여러분을 속여서라도 최고의 미인 칭호를 듣고 싶다는 고충이 있었습니다. 저는 최근에 결혼 생활이 어쩐지 무의미하게 느껴졌습니다. 이것은 사랑하는 남편과 함께 노동의 즐거움을 맛봐야 하고, 우리의 생명을 이어 나갈 아이를 낳아 길러야 하는 자연의 법칙에 어긋나는 위태로운 느낌입니다만, 하여튼 저는 뭔가 시들한 느낌에 견딜 수 없었습니다. 저의 이런 위태로운 느낌에 대하여 곰곰이 생각해봤습니다. 그리고 저는 아직도 우리 부부의 사랑이 여러 가지 유혹을 이겨낼 만큼 깊게 익어 있지 않은 까닭이란 것을 깨달았습니다. 책임은 남편에게도 있겠지만 저 자신에게 더 많은 것을 깨달았습니다. 저는 아직도 저 자신을 사랑하는 만큼 남편을 사랑하지 못한 것입니다. 나의 모든 것을 아직 충분히 남편에게 바치지 못한 것입니다. 나의 모든 것이란 물론 저의 땀이기도 합니다만, 여자인 저로서는 저의 외면적인 아름다움도 그 모든 것 속에 포함된다고 생각합니다. 오늘 저는 영광스럽게도 최고의 미인 칭호를 얻었습니다. 저는 우선 이것을 남편에게 바치려고 합니다. 그리고 이후로 저의 땀도 모두 바칠 것을 결심합니다. 그래서도 결혼 생활이 무의미하게 느껴진다면 어떻게 합니까. 할 수 없이 그만둬야죠. 저의 자그마한 가정생활 때문에 여러분에게 폐를 끼쳐서 대단히 죄송하게 생각합니다."

역시 정신병자라는 의심을 면치 못했을는지 모르나 미인대회라는 맹랑한 것을 처음 고안해낸 사람과 이 여자 중에 어느 쪽이 좀 더 정신병자에 가까울지는 전문 의사가 판가름해줄 것이다.

처녀론

어느 날 길에서 우연히 그 여자를 만난다. 조금 전 행인들 틈에서 그 여자의 얼굴이 보였을 때에야 내가 아는 사람 중에 저런 얼굴을 가진 사람이 있었지, 이름이 뭐더라? 저 여자도 나를 알아봤군, 여자가 웃는 얼굴로 가까이 온다. 아 아무개라는 이름의 여자였지, 라고나 할 여자니까 친밀한 사이는 아니다.

그러나 몇 달 전 또는 몇 해 전에 등산 코스의 어느 지점에서 쉴 때, 또는 빨간 갓이 달린 탁상 전등이 탁자 위마다 놓인 어느 레스토랑에서, 또는 오징어 한 마리를 사기 위해 들른 구멍가게에서 우연히, 또는 수학 문제 하나를 풀어달라고 찾아와서 책상 곁에 얌전히 무릎을 꿇고 앉아 있을 때, 또는…… 그렇다, 어떠한 우연에서라도 좋다. 다만 내가 문득 그 여자의 맑은 웃음소리와 밝은 표정과 미지에 대한 호기심으로 가득 찬 눈짓을 느끼고 아무런 부담 없이 마음 한구석이 따뜻해짐을 잠시라도 느꼈던 바로 그 여자다.

"안녕하세요?"라고 그 여자가 말하고, "어디 가십니까?"라고 나도 말한다. 잠깐 길 가운데 멈춰 서서 서로 얘기를 몇 마디 주고받아도 좋고, 그냥 그 정도의 인사말로 지나쳐도 좋다. 다만 언젠가 우연히 그리고 짧은 시간 동안이나마 내가 그 여자에게서 입었던 은혜―그 여자의 맑은 웃음소리, 밝은 표정, 미지에 대한 호기심으로 가득 찬 눈짓 때문에 순수한 기쁨을 느꼈던 사실을, 그 감정을 지금 길에서 몇 달 후의, 또는 몇 년 후의 그 여자에게서도 다시 얻을 수 있기만 하다면!

그리고 어느 날 어느 장소에서 우연히 그 여자를 또 만난다. 문득 나는 그 여자는 이미 내가 알던 그 여자가 아님을 발견한다. 이제 그 여자의 눈 속에는 권태의 나른한 그림자가 감출 수 없이 나타나 있고 입가에는 당황과 사람을 경계하는 칙칙한 미소가 죽 유지되어 있다.

곧잘 깜박이고 이리저리 굴리던 그 여자의 눈동자는 이미 그 빛나는 움직임을 멈추어버렸다. 안정되었다는 것일까? 그렇다면 왜 저 눈동자는 초점을 잃어버렸을까? 아무 사물이 없는 허공을 응시하듯이. 아아, 이젠 처녀가 아닌 것이다.

정직한 여자일수록 처녀가 아닌 표시는 그 여자의 언행에 뚜렷이 나타난다. 남자들은 우선 정직한 여자를 구한다. 그리고 처녀를. 그래서 수많은 여자를 거쳐냈음에도 "언제라도 처녀만 만나면 그 여자의 교양이 어떻든, 지식이 어떻든 결혼해버리겠다"고 얘기하는 친구가 있게 되는 법이다.

그 친구가 여자에게서 바라는 것은 무엇일까? 수많은 가능성을 향해 자기의 촉각을 내두르는 발랄함, 할 수 있는 한 많은 미덕으로 생에 자기 자리를 잡으려는 성실, 우선 그것이 처녀들의 일반적인 특징이고 남자들이 여자에게서 바라는 것이 아닐까? 남자들은 여자를 자기에게 맞도록 길들이고 싶어 하기 때문이다. 자기 나름으로, 또는 다른 남자가 개입해 일정하게 굳어버린 여자는 무슨 매력을 가질 수 있단 말인가?

"엎질러진 물이니 과거의 실수는 깨끗이 잊어버리고 새로 시작해보십시오"라는 '인생 십자로' 또는 '어찌하오리까'의 해답 선생님들의 의견은 훌륭한 것이다. 그러나 자기 부인의 몸속에 이미 어떤 남자가 조금이라도 자리 잡고 있었다는 사실을 알았을 때 남자는 이성의 명령에 끝까지 복종할 수 있을까? 자기 감정에 저항해야 한다는 사실 자체가 남자에게는 불행한 것이다.

무엇보다도 우선 여자는 육체적으로 처녀가 좋다. '여자는 여러 번 태어난다'는 보부아르 여사의 말이 맞는다면, 그중 중요한 한 번의 탄생은 자기에 의해 이루어지기를 모든 남자는 자기 여자에게 바라기 때문이다.

자기의 성을 발견한다는 것은 많은 것을 동시에 발견한다는 것이 아닐까? 때로는 불안과 초조와, 소설이나 영화에서만 보던 정신적인 고통이 이젠 자기의 것임을, 때로는 편안하게 구속된 자유와 달콤한 권태와 무력감을, 때로는 방향이 생긴 행동에의 의지와 수치감이 없어진 상태에서의 정열을. 어쨌든 산다는 것이 부담으로 생각되기 시작한 것이다.

그러나 처녀는 그렇지 않다. 아직 자기의 '처녀'를 그 무엇과 바꾸지 않았으므로 그 무엇은 여자의 공상 속에서 얼마든지 화려해도 좋다. 지구가 없어질 때까지라도 아름답게 반짝이는 것들의 무더기―보석의 더미가 있다면 그것은 처녀의 가슴속이리라. 그리하여 그리스 신화의 모든 여신이 자기들의 때와 먼지에 더러워진 몸을 '처녀의 샘'으로 끌고 가고 싶어 하던 이유는 명백하다. 모든 비처녀의 소원이 그 신화 속에 있다.

그러나 처녀의 상태를 바라는 것은 여자들뿐만이 아니

다. 남자들 역시 여자에게 항상 바라는 것은 처녀 적 상태다. 사람들은 그토록 잡되면서도, 잡된 사람일수록 더욱 순수한 것을 바란다. 그 모순을 우리는 받아들일 수밖에 없다.

이미 처녀가 아닌 여자들이 언제든지 달려갈 수 있는 '처녀의 샘'은 없을까?

현실적으로 가능한 것은 여자들이 항상 처녀의 속성을 유지하려고 애쓰는 태도일 것이다. 처녀막을 유지하라는 얘기가 아니다. 수녀들이 때로 추해 보이는 것은, 비록 처녀이긴 하지만 그들은 어디엔가 자기를 바쳐버림으로써 자기만의 가능성을 닫아버린, 이미 처녀는 아니기 때문이다. 그들의 눈동자는, 내가 어느 날 어느 장소에서 만난 여자처럼 이미 반짝이지도 않고 쉴 새 없이 구르지도 않는다. 차라리 수많은 손자를 거느린 할머니에게서 우리는 처녀를 느낄 때가 더 많다. 그것이 중요하다.

여자들이 찾으려는 노력만 기울인다면 '처녀의 샘'은 어디에고 있을지 모른다. 그 샘물로 목욕할 수만 있다면 남편은 항상 당신을 욕망하리라.

결국 모든 처녀는 자기의 처녀를 어디에고 바쳐야 한다. 처녀는 마치 나쁜 향수와 같아서 병 속에 너무 오래 두면 그 자신의 독소 때문에 썩어버린다. 그렇다면 처녀를 어디에 바칠 것인가.

자기 꿈의 창구 저편으로 처녀라는 수표를 내밀고 현실이 주는 현금을 받을 수밖에 도리가 없다. 그러나 그 현금으로 필요한 생을 사는 외에 자기가 처녀 시절에 자기의 좋은 속성으로 가지고 있던 것을 다시 사는 영리함을 잊어서는 안 될 것이다.

과연 모든 것이 처녀막 저편에 있다. 그러나 그 모든 것이 기대한 만큼이나 만족스러울까? 일단 처녀가 아니게 된 뒤에도 자기의 처녀를 고집하려는 태도가 계속되는 한, 미래는 빛을 계속해서 가질 수 있을 뿐이다.

여자들은 모두가 처녀가 돼라, 끊임없이 끊임없이.

온달처럼 평강공주처럼

가정은 자아 완성의 도장

대학 시절 사회학 강의실에서 '가정의 목적이란 첫째 합법적인 성생활, 둘째 경제적 공동생활, 셋째 자녀교육' 등이란 가르침을 듣고 꿈 많은 총각으로서 나는 "애개, 겨우!" 어쩐지 신비한 환상이 우르르 무너져 내리는 듯 맥이 쑥 빠지는 느낌을 받은 적이 있었다. 사랑하는 여자와 가정을 꾸리고 사는 데는 그보다는 좀 더 고상하고 원대한 목적이 있을 것만 같았다. 기껏해서 남의 눈을 피해 애인을 데리고 여관 같은 데 드나드는 게 불편하고, 월급을 쓸데없는 물건이나 사고 친구들한테 술이나 사주면서 낭비해버리느니 기왕이면 그 돈으로 서너 사람이 먹고살자고 그리고 남자와 여자가 붙어살다 보면 저절로 생기게 마련인 애들 뒤치다꺼리나 해주자고 부부 생활을 하는 것이라면, 그것만이 가정의 목적이라면, 오, 나는 결혼 같은 것

안 하겠다. 혼자 사는 쪽이 훨씬 뜻있는 일을 할 수 있겠다, 그런 다짐을 해본 적이 있다.

그렇지만 나 역시 어쩌다 보니 가정을 갖게 되었고, 그리고 이렇다 할 후회도 없다. 오히려 가정을 가져봄으로써 가정의 목적은 사회학이 주장하듯 '합법적 성생활, 경제적 공동생활, 자녀교육' 등이 아니라 '자아 완성'임을 발견하게 된다. 사회학이 주장하듯 그것은 '목적'이 아니라 가정의 '출발 요건' 정도다. 물질적인 본능의 해결, 그것은 부부 각자의 정신적인 행복, 도덕적인 완성을 위한 밑받침이지 그 자체가 목적일 수는 없음을 확인하게 된다. 물론 밑받침으로서 그것들의 운영이 얼마나 원만하고 튼튼하냐에 따라서 목적인 '자아 완성'도 그 크기와 단단함이 좌우될 수 있으므로 대단히 중요하긴 하다.

남편의 관점에서 '처덕妻德'이란 말이 생길 수 있는 것도 그 '요건들'과 관계되어서일 것이다. 아내의 관점에서 '남편 잘 만났다'는 말도 마찬가지일 것이다. 부부 사이의 성생활, 경제생활, 자녀교육 등의 기본적으로 안정되어야 할 바탕에 문제가 생기거나 상대방에게 어떤 흠이 있다면 자기완성이라는 목적도 그만큼 어려워진다. 실제로 오늘날 우리나라 사람들 대부분이 그 기본 요건에서 문제투성이이므로 그 문제를 해결하느라고 허덕이다 보면 그것 자체가 마치 목적인 듯이 착각할 수도 있다. 그리고 그것이 목적인 듯이 착각하니까 허덕이는 그 문제 해결 자체조차 해결하지 못하고 나자빠지곤 하는 것이다. 가정의 목적이 '정신적인 행복, 도덕적인 완성, 자아 완성'임을 잊지 않으면 그 목적에 의해 기본 요건들의 문제는 적절히 조정될 수 있으며 그 문제를 해결하는 지혜가 생기게 마련이다.

처가 덕보다 처덕으로

대체로 '처덕'이라고 하면 바로 부부가 그런 기본 요건에서 문제에 부딪쳤을 때 좋은 지혜를 내는 아내의 은덕을 말함일 것이다. 다분히 물질적인 기본 요건과 관계되므로 처덕이라는 말에는 자연히 그다지 고상하지 못한 어감이 풍기기도 한다.

한 상과대학의 교수 한 분은 "자기 자본이 없으면 부잣집 딸과 결혼하도록! 자본 형성의 가장 빠른 한 가지 방법이다"고 가르친다. 아내가 가져온 자본으로 자신의 능력을 발휘하여 큰 사업체를 이룩할 수 있었다면 그야말로 '남편 좋고 아내 좋고', 그런 처덕도 있을 것이다. 어떤

지 구린내가 난다고는 하지 말자. 능력 있는 남자가 많은 사람을 고용한 큰 사업체를 잘 경영해 사회에 이바지하는 것도 산업사회에서는 하나의 커다란 선善이라고 해두자.

아내가 건강하다는 것도 '처덕'이라고 할 수 있을 것이다.

지지리도 처덕이 없는 남자라면 누구다 해도 역시 심청의 아버지 심학규 씨다. 앞 못 보는 장님인 남편한테 핏덩어리 딸만 하나 떡 안겨주고 해산한 지 며칠 만에 죽어버린 마누라보다 더 한심스러운 마누라가 어디 있겠는가. 마누라란 잔소리를 좀 꽁알꽁알 해대더라도 건강한 몸으로 오래오래 살며 무거운 냉장고도 저 혼자 훌쩍 옮기고 애들이 밖에서 얻어맞고 들어오면 달려나가 때린 애를 야단쳐주고 그러다가 그 부모와 싸움이 되면 상대편 머리채를 잡아 흔들어줄 수도 있어야 좋을 것이다.

심봉사 얘기가 나왔으니 말이지만, 그 후처라고 할 수 있는 뺑덕어미 역시 한심스럽기 짝이 없는 여자다. 애초에 뺑덕어미가 심봉사의 후처를 자원한 이유도 뭐 장님인 심학규 씨의 눈이 돼주어 그에게 남자의 포부를 성취하는 데 도움이 돼주겠다는 나이팅게일 정신에서가 절대 아니라 오로지 심청이가 몸 팔아 벌어놓고 간 그 재산으로 편하고 재미나게 지내기 위해서일 뿐이었다. '쌀을 주고 엿 사 먹기, 벼를 주고 고기 사기, 술집에서 술 먹기와 이웃

집에 밥 붙이기, 빈 담뱃대 손에 들고 보는 대로 담채 청하기, 이웃집에 욕 잘하고 동무들과 쌈 잘하기, 정자 밑에서 낮잠 자기, 술 취하면 울음 울고 동리 남자 유인하기, 1년 360일을 입 잠시 안 놀리고 못 견뎌…….' 그러다가 재산이 바닥나자 간부姦夫와 제2의 인생을 위해 달아나버린 것이다.

가출 아내와 온달의 아내

수년 전에 우리 집에 가정부로 일해주던 아주머니는 내 고향 근처의 농촌에서 남편과 세 자식을 내버리고 서울로 도망쳐온 여자였다. 끼니때가 돌아오는 게 벌벌 떨리게 무서울 만큼 가난한 살림이 지긋지긋해서 다 내버리고 도망쳐왔다는 그 아주머니는 그렇다면 많지 않은 월급이지만 모았다가 자식들에게 부쳐주리라는 내 기대는 아랑곳없이 해보고 싶던 파마도 하고 신고 싶던 구두도 사 신고 알록달록한 양산도 사느라고 월급을 받는 대로 다 써버리더니 또 어디론가 훌쩍 가버리는 것이었다.

가난 때문에 가족들과 헤어져서 돈 벌러 객지로 나선 것은 그 아주머니뿐만이 아니다. 어쩌면 우리가 사는 이

시대는 국민학교밖에 안 나온 사람이건 대학을 나온 사람이건 거의 온통 가족과 헤어져서 다른 지방이나 외국으로 돈 벌러 흩어져 있는 것이 특징이라고 할 수 있다. 여기서 중요한 것은 파마나 하고 구두나 사 신기 위한 돈벌이인가 아니면 훨씬 고귀한 정신적인 이상, 도덕적 완성을 목적으로 한 기본 요건의 충족을 위한 것인가 하는 점이다.

그리하여 처덕이라면 뭐니뭐니해도 남편의 잠재 능력을 계발해주고 부족한 면을 보완해 남편에게 도덕적 자아의 완성이라는 이상을 갖게 하고 그것을 성취할 수 있도록 도와주는 아내의 은덕을 가장 높게 쳐야 할 것이다.

어려운 소리 길게 할 것 없이, 바보 온달의 아내 평강공주와 내 친구 K의 아내 A여사를 보면 정말 좋은 처덕이란 어떤 것인지 알 수 있다.

아시다시피 평강공주는 가난하고 무식한 나무꾼 온달에게 시집가서 자기가 가진 비단 짜는 기술로 가계를 돕고 남편에게 글을 가르치고 무예를 연마하게 하여 드디어 남편을 가장 뛰어난 장군으로 만든다. 온달은 장군이 되어 국가의 평안을 위해 외군과 전쟁터에서 싸워 이기고 죽는다. 처덕과 남편의 도덕적 완성이라는 본보기로서는 가장 모범적인 얘기일 것이다.

내 대학 동창인 K는 농촌 출신의 넉넉지 못한 청년이었다. 불문학 공부를 하지만 타고났다고 할 만큼 문학적 재능이 예민하다고 할 수 있는 친구도 아니었다. 다만 온달처럼 약간 우직할 만큼 성실한 친구라고 할 수 있다.

대학을 나오자마자 E여대를 나온 A라는 여자와 결혼했다. A씨 역시 홀어머니의 외딸로서 지방 출신의 넉넉지 못한 여자였다. 다만 남의 일도 자기 일처럼 잘 도와주고 다른 사람과 금방 친해지는 사교적인 성격이어서 친구가 많다는 것만이 그 여자의 재산이라고 할 수 있었다.

결혼해서 한동안은 전세방에 살면서 아내는 남편이 고등학교 강사, 여고생들의 불어 개인 교습 등으로 벌어오는 수입으로 가난한 살림을 꾸려 나갔다. 어린애가 둘씩이나 되고 보니 남편은 영영 돈벌이에 짓눌려 학자로서의 꿈은 꾸어보지도 못하고 말 것 같아 아내는 안타까웠다. 마침 도불渡佛 장학금을 얻은 남편을 프랑스로 가게 하고 잡지사 기자, 모교 총장의 비서실 근무 등을 하며 가계를 꾸려가는 한편 싼 집을 사서 수리해 팔고 하는 식으로 재산을 모아갔다. 그동안 친구들의 헌 옷가지를 얻어다가 고쳐 입곤 했다.

K가 수년 만에 드디어 프랑스에서 문학박사 학위를 받고 돌아왔을 때 아내인 A여사는 자그마하나마 예쁜 마이홈과 벌써 국민학교 상급반인 아이들을 남편 앞에 내놓

앉다. 그 착한 아내 앞에 남편은 이제 아무도 그의 타고난 문학적 재능을 의심할 수 없는 탁월한 문학적 식견을 내놓았다. K는 지금 문학평론가로서 그리고 지방 대학의 불문학 교수로서 활발하게 활동하는데 평강공주란 옛날애기가 아니라는 생각을 나는 A여사를 볼 때마다 한다.

아내가 먼저 깨어야

평강공주나 A여사의 사례에서 알 수 있듯 친정에서 가져온 재산이나 육체의 아름다움이 아닌 슬기로움과 노고로써 남편에게 처덕을 베풀려면 먼저 아내 자신이 깨어 있어야 한다. 타고날 때부터 지혜롭고 깨우친 사람이 어디 있겠는가. 부부의 목적을 높은 곳에 설정할 때 저절로 생기게 마련인 관심을 존중해 그 관심을 충족해보려 노력하는 중에 지혜도 생기고 지식도 얻는 것이다.

장님을 무지나 무능력의 은유라고 한다면 사실이지 많고 적은 차이는 있지만 무지하지 않고 전지全知한 사람이 어디 있으며 우리 개개인에게 능력이 있으면 얼마나 있겠는가. 우리 모두가 심봉사라 할 수 있다.

잊지 말아야 할 것은 뺑덕어미처럼 남편과 더불어 본능

적이고 물질적인 삶의 즐거움만을 기대하는가, 평강공주처럼 도덕적인 완성을 기대하는가 하는 차이에서 슬기로운 처덕이 나올 수도 있고 안 나올 수도 있다는 것이다.

어머니

가령 이런 경우가 있다. 내 친구가 찾아와서 점심을 같이하지 않으면 안 될 경우가 생긴다. 어머니께서 들여준 밥상을 보니 반찬이 형편없다. 내 기억이 틀림없다면 아침에 먹고 남은 고깃국이 적어도 한 사람 몫은 있을 텐데 그것도 밥상 위에는 놓여 있지 않다. 아마 내가 잘못 기억하는 것이겠지 생각하고 그럭저럭 점심을 때우고 친구와 함께 외출하기 위해 나가려고 한다. 그런데 어머니께서 나를 잠깐 부엌에서 보자신다. 내가 부엌으로 들어가면 어머니께선 부엌문을 안으로 잠그시고 나서 고깃국을 내놓으시며 여기서 소리 나지 않게 살짝 먹고 나가라는 말씀이시다.

나는 내 어머님께 무안을 드리기 위해 이런 폭로를 하는 게 아니다. 그리고 이 이야기를 읽으며 아무도 내 어머님이 나쁜 분이라고 비난할 수는 없을 것이다. 왜냐하면 어머님을 두고 자란 사람은 누구나 한 번쯤은 이런 경우를 당해보았을 것이고, 그보다 먼저 이른바 모성애라는 것의 정체가 바로 그런 것이니까 말이다.

살기가 각박할수록 더욱더욱 모성애는 방금 이야기한 바와 같은 형식―원시적이고 본능적으로 노골화한다. 어머니라는 존재가 바로 원시적이긴 하지만 너무나 본능적이기만 하면 좀 어떨까 하는 생각이다.

먹고 남은 고깃국 한 그릇이라도 내 친구의 밥그릇 곁에 놓는다면 내가 그 친구의 집에 갔을 때는 뜨거운 고깃국을 대접받으리라는 것을 왜 내 어머님은 계산하지 않으셨을까. 참 민망스럽다.

내가 본 사치

어느 날 영등포를 통과하는 버스를 타고 있을 때, 나는 차창을 통해 거리에 서 있는 한 여자를 보았다. 옷차림은 영등포만큼이나 더러웠다. 어린애를 업고 있었고 머리도 마구 헝클어져 있었다.

그런 빈민의 차림새를 한 여자는 서울의 변두리에서 얼마든지 볼 수 있다. 그런 아주머니를 외국인들은 가난한 한국의 상징으로서 카메라에 담아가겠지만 우리는 무심히 지나쳐버린다. 그런 여자들은, 봐서는 나이도 교양도 헤아릴 수가 없다. 그런 차림을 한 여자를 보면 우리는 그 여자를 으레 나이가 많고 교양이 없다고 생각해버리고 상대하게 된다.

그런데 그날 영등포에서 내가 본 그 여자는 버스가 꽤 오래 한 곳에 멈춰 서 있었기 때문에 자세히 관찰할 수가 있어서 그랬는지는 모르겠으나, 적어도 나이는 얼마쯤이라고 짐작할 수 있었다. 누더기 같은 차림새를 비집고 그 여자의 나이만이라도 밖으로 나타나 있다는 사실에서 나는 이상스럽게도 깊이 감동했다.

그 여자가 유난히 밝은 표정으로 길가에 서 있었던 것은 아니다. 이마를 덮을 만큼 머리카락은 흐트러져 내려와 있었고 가끔 등에 업은 아이를 추기는 팔짓도 아주 힘이 없어 보였다. 더구나 시선은 걱정이 깊은 탓인지 어느 곳을 보고 있다고도 할 수 없는 그런 것이었다. 실례를 무릅쓰고 상상한다면, 남편에게 한 차례 언어맞고 아이를 업은 채 집을 뛰쳐나와서 길을 잃어버린 여자 같은 자세였다.

이제 스무 살쯤, 나는 그렇게 생각했다. 그 여자가 보여주는 처참한 분위기가 나의 눈을 흐리게 했을까. 그렇지는 않았다. 때와 햇볕에 절어서 검은 얼굴의 피부는 매끄러워 보였고 콧날은 아름답게 높았고 눈은 그 검은 피부 속에서 참 귀엽게 빛났다. 아마 그러한 생김새가 그 여자를 앳되고 심지어 교양조차 있어 보이게 한 것이 아니었을까? 그때 나는 문득 '사치'라는 말이 생각났다.

나는 비싼 옷과 장신구로 몸을 단장하고 나선 명동 거리의 어떤 못생긴 여자를 상상한다. 명동에는 그런 여자들이 많다. 그 여자가 어떤 기회에 영등포의 그 여자를 만난다. 그리고 명동의 못난이는 생각한다. "저 여자의 얼굴은 자기 신분에 비추어 너무 사치스럽군." 만일 그때 우리가 그 여자 곁에 있다면 우리는 이렇게 말할 수 있다.

"당신의 옷은 당신의 얼굴에 비해 너무 사치스럽군."

여기서 나는 사치가 악이 될 수 없음을 깨닫는다. 자기에게 부족한 것을 채우기 위해 무엇을 장만하는 행위를 사치라고 한다면 말이다.

영등포의 여자는 복되게도 신으로부터 사치할 것을 허용받았고 명동의 여자는 자신의 힘으로 사치하려고 할 뿐이다. 자기에게 부족하지 않은데도 더 가지려고 하는 것, 그것을 나는 허영이라고 부르며 그것은 나도 미워한다.

명동의 못난이가 영등포의 이쁜이에게 "당신의 얼굴은 당신의 신분에 비해 너무 사치스럽군"이라고 말할 때 그 말 속에 '네 얼굴을 내가 가졌더라면' 하는 생각이 조금이라도 있었다면 바로 그것이 허영이고, 허영을 부리는 여자를 나는 한마디로 일컫는다. "이 도둑년아!"라고.

연정에 대하여

연정이라는 단어에서는 연륜을 느끼지 않아서 좋습니다. 세상에는 퍽 많은 종류의 정이 있습니다만 모두가 한결같이 연륜에 의한 어감을 띠고 있어서 금방 이해되지 않습니다.

그 예로 우정이 있습니다. 20대의 우정과 40대의 우정에는 많은 차이가 있습니다. 아니 한마디로 우정이라 해버리기에는 어쩐지 주저될 정도로 차이가 심해서 가능하다면 이름을 따로따로 지어 붙여주고 싶을 정도입니다. 처세술―통념일지 모르나 이것이 40대의 우정인 듯합니다. 공동이념이니 생활의 전우戰友니 하는 아름다운 말로 수식하고들 있으나 아무래도 그것은 가면인 듯합니다. 한편 20대의 그것은, 네가 죽으면 나도 따라서 죽겠다는 식의 엄청난 정열을 가지기는 했습니다만 그런 만큼 얼마나 배반당하기 쉬운지요! 배반이라고 해서 물론 당사자끼리의 배반이 아니라 애초에 세상이 생겨먹은 꼴에 의한 배반입니다. 흔히 20대의 우정에서 나는 차라리 연정이라고 부르고 싶을 정도로, 고도의 정열을 가진 헌신적인 것을 봅니다만 그럴 때마다 내가 읽었던 제임스 조이스의 한마디―남자와 남자 사이에는 성 교섭이 있을 수 없으므로 진실한 애정은 불가능하고, 남자와 여자 사이에는 성 교섭이 있으므로 진실한 우정이 불가능하다―는 뜻의 애기가 생각나서 한숨이 쉬어지곤 합니다.

이건 뒤에 얘기하기로 하고, 요컨대 우정이라든가 사제지간의 정이라든가 등의 수많은 정은 자기의 일부를 내주고 나서 이젠 됐지 뭘, 하고 시침 떼어버려도 되지만 자기의 전체를 내맡겨도 부족해서 오해가 생기고 갈등이 생겨 유구한 세월 동안 드라마의 기본 주제가 되어온 것이 바로 연정이 아닌가 하고 생각해봅니다.

어렸을 때는 무척 화려한 상상을 '연정'이란 단어에 쏟아보았습니다. 아주 얇은 망사의 휘장 저편에서 뿌옇게 어른거리는…… 식으로 말입니다. 그렇게 생각하던 무렵에 써놓은 글이 가끔 책상을 뒤지거나 할 때 발견되지만 얼마나 근거 없는 망상을 했던가 하고 쓸쓸히 웃어봅니다. 얼마 전까지는 일종의 구원책을 거기에서 발견하려는 노력을 해보았던 듯합니다. 말하자면 자책 없는 도피처—
살기가 싫어질 때, 긴장에 시달릴 때 그리고 쫓기는 듯한
느낌으로 매일 밤 무서운 꿈을 꾸어야 할 때 내가 피해 가
서 한숨 돌릴 수 있는 곳—그것이 연인이고 혹은 내가 여
인에게 주는 아마 사랑이라고 생각했습니다. 그럭저럭 나
는 연정을 지상의 안식처로 생각했고 그러므로 무척 아꼈
던 모양입니다.

여기까지 쓰고 보니 자기의 연정을 퍼부을 여인을 찾아
헤매는 한 다정한 친구가 생각납니다. 아직 한 번도 '가슴
두근거림'을 느끼게 하는 여자를 보지 못했다며, 그러면
서 그는 수많은 여자를 겪어내고 있습니다. 겉으로는 제
법 "돈 주앙에게 왜 연정이 없었겠느냐? 그는 매번의 여자
에게 충실한 연인이었지" 하고 큰소리를 칩니다만, 그러
면서 다수의 여자를 곁에서 보는 내가 눈이 부실 정도로
속성으로 해치우는데 아마도 진짜 연정은 못 찾고 만 듯
합니다.

하긴 제임스 조이스 선생도 남자와 여자 사이에는 성
교섭이 가능하므로 항상 진실한 애정이 있을 수 있다고
는 말하지 않았으니 그 친구가 결국 못 찾고(아니 아직 못 찾
은 것이라고 나는 생각하지만) 만 것도 이유가 있는지 모르겠습
니다.

나는 마침내 그 연정이라는 것을 발견한 모양입니다만 좀 더 어렸을 적에 상상하던 것과는 조금도 닮지 않았습니다. 내게 휴식을 가져다주는 것이 아니라 오히려 더 큰 짐을 가져다주는 것만 같습니다. 차라리 연민이라고나 할까요, 여자가 불쌍하다는 느낌 같은 것입니다.

그 여자가 내게 헌신하면 헌신할수록 나는 한 인간이 다른 인간에게서 받는 온기가 무척 감격스럽게 생각되면서도 어쩐지 그 두 사람이―주는 사람과 받는 사람이 눈물이 날 만큼 불쌍해지고(이 경우를 이런 식으로 표현하는 나는 아마 받는 남자에게서 서너 발자국 뒤에 서서 그들을 보는 모양입니다) 그것을 받을 때 그 여자에 대한 보답으로 느끼는 것은 더욱 무거운 책임감뿐입니다. 어쩌면 이건 내게 연민이 없다는 얘기인지도 모르겠습니다.

이 글의 처음에 나는 연정에 관해 굉장한 찬미나 할 듯한 기세였지만 세상에 태어나서 이제 겨우 스무 해쯤 사는 놈으로선 이 세상 전체에 대해서와 마찬가지로 하나의 감정에 대해서도 굉장한 찬미나 객관적인 얘기를 할 재주가 없습니다. 그저 이따금 느끼곤 하는 것은 연정을 잘츠부르크의 나뭇가지에 맺히는 결정 같은 것으로 비유한 스탕달은 거짓말쟁이가 아니었나 하는 것과 내가 상상하던 연정은 아마 없거나 혹은 너무 순수하고 그리고 플라토닉

한 연정을 품을 시대는 지났고 크레이지한 연정만이 존재할 수 있는 오늘날에는 수많은 여자를 겪어내는 내 친구가 결국 진실을 안 게 아닌가 하는 것입니다.

그러나 이렇게만 생각하기에는 좀 서운하고 그래서 이렇게도 생각해봅니다. 진실한 감정에는 갈등이 있고 책임이 따르고 발전하면 연민이 된다고.

그러나 이건 어디까지나 나의 얘기에 불과합니다. 다시 한 번 말하지만 나는 내 얘기밖에 할 줄 모릅니다.

이 글을 읽는 나이 많은 여러분 중에는 내가 상상하던 아름다운 연정을 가져본 분도 있겠습니다. 그런 분은, 세상에는 이런 엉터리 연정만 얘기하는 놈도 있다고 아시고 여러분 자신을 행복하다고 생각하시기 바랍니다.

후기

   수필집이라는 것을 처음 낸다. 워낙 자기 일에 충실치 못한 물러빠진 성미라 써서 발표한 자신의 글 한 조각 제대로 스크랩해놓은 것이 없었다. 어느 지면에 무슨 글을 썼는지 이제는 기억조차 못 하는데 지식산업사에서 일하고 계시는 동인 최하림 형이 어느 틈에 내 글을 시시콜콜 모두 모아놓고 책으로 묶어보자신다. 그 뜨거운 우정에 나는 눈물이 날 만큼 고마웠다.

   그러나 수필집을 출판한다는 것은 나로서는 무척 망설여지는 일이었다. 솔직한 육성을 담아야 하는 수필을 써달라는 지시를 받고서 대체로 거절하곤 해왔다. 여기 모아놓은 수필들도 거의 모두 지시하신 분과의 거절할 수 없는 인간관계 때문에 마지못해 털어놓곤 한 글들로서 무엇보다도 우선 그 분량이 과연 책 한 권으로 묶일 수 있을까 하는 의문 때문에 출판을 망설였다. 망설였던 또 하나의 큰 이유는 기왕 수필집을 낼 바에는 좀 더 하고 싶은 말을 충분히 써보고 싶다는 욕망 때문이었다. 여기 모은 글들에 거짓이 있다는 게 아니라 남들의 강요에 질질 끌려 써낸 글이 아닌 스스로 쓰고 싶어 쓴 글들을 첨가하여 나의 진실을 좀 더 완벽하게 하고 싶다는 욕망 말이다. 하지만 첫술에 배부르랴! 이 책을 계기로 앞으로는 남의 요구에서가 아닌 스스로 우러나 쓰는 수필도 좀 열심히 써봐야겠다고 생각한다.

1977년 12월

김 승 옥

293

'산문시대'를 헤쳐 나간 이들의 뜨거운 호흡

김승옥의 등단작 제목인 '생명연습'은 오랫동안 내게 문학 그 자체의 다른 이름인 것처럼 느껴졌는데, 불완전한 생명인 인간이 완성 없는 연습을 반복하는 것이야말로 인생이고 문학은 그것의 반영이 아닌가 싶어서였다. 또 내가 '인간은 이상하고 인생은 흥미롭다'라는 윤리-중립적이고 인식-지향적인 명제로 요약하곤 하는, 인간을 대하는 문학의 기본 태도를 모범적으로 예시하는 작품이 바로 김승옥의 초기 소설들일 것이라는 생각도 해왔다. 시간의 흐름 속에서 쉽게 낡아지는 것이 가수의 창법과 소설가의 문체인데, 한국 문화사에서 그 제약을 돌파한 희귀한 사례가 있다면 (대중음악 쪽은 어떨지 몰라도) 소설가 중에는 바로 김승옥이 있겠다고도 생각해왔다.

이렇게 김승옥에 대해서라면 나는 생각이 많았고 앞으

로도 그럴 것이어서 그는 내게 영원한 동시대의 작가다. 그래서 이 오래된 산문집(초판 1977년)의 재출간이 몹시 반갑다. 특히 여기에 실려 있는 '산문시대' 동인 활동 회고 담만으로도 이 책의 가치는 충분하다고 생각한다. 헤겔은 공동체로부터 분리된 개인이 낯선 현실 속에서 불안과 공포를 느끼는 시대, 오성(悟性)이 지배하고 예술이 붕괴하는 근대 이후의 그 시대를 '산문시대'라 명명하기도 했지만, 5·16 이후의 한국, 그야말로 어둡고 갑갑했던 그 '산문시대'를 문학이라는 빛에 의지해 헤쳐 나간 이들의 뜨거운 호흡이 그 글에는 살아 있다. 어쩌면 그때가 한국 문학의 '영웅시대'였던 것은 아닌가.

신 형 철

뜬 세상에 살기에

초판 1쇄 인쇄 2017년 1월 25일
초판 1쇄 발행 2017년 2월 1일

지은이 김승옥
펴낸이 연준혁

출판 1분사 편집장 한수미
책임편집 정지연
디자인 형태와내용사이

펴낸곳 (주)위즈덤하우스 출판등록 2000년 5월 23일 제13-1071호
주소 경기도 고양시 일산동구 정발산로 43-20 센트럴프라자 6층
전화 031)936-4000 팩스 031)903-3893 홈페이지 www.wisdomhouse.co.kr

값 20,900원
ISBN 978-89-5913-089-4 04810
    978-89-5913-087-0(세트)

국립중앙도서관 출판예정도서목록(CIP)

뜬 세상에 살기에 / 지은이: 김승옥. — 개정판. — 고양 :
위즈덤하우스, 2017
   p. ; cm
ISBN 978-89-5913-089-4 04810 : ₩20900
ISBN 978-89-5913-087-0 (세트) 04810

산문집[散文集]
한국 현대 문학[韓國現代文學]

814.62-KDC6
895.744-DDC23   CIP2016030090